When God Doesn't
Answer Your Prayer

堅持一生的禱告

附討論問題

傑瑞·席哲（Jerry L. Sittser）著　　趙燦華 譯

堅 持 一 生 的 禱 告

作者　傑瑞·席哲（Jerry L. Sittser）
譯者　趙燦華
出版者　美國麥種傳道會
　　　　地址：1423 Maple St.
　　　　South Pasadena, CA 91030
　　　　U.S.A.
　　　　電話：(626) 441-5543　　傳真：(603) 307-0243
　　　　電郵：info@akow.org　　網站：www.akow.org

版次　二〇〇六年六月初版
　　　版權所有·請勿翻印

紀念

黛珍・席哲

在禱告的功課上，她教導我良多

藉著她的生，也藉著她的死

目録

Contents

致謝

　　直到快要完成本書時，我才明白自己對於禱告的掙扎，對於禱告的瞭解，和對於禱告的堅定決心，都是來自同一個源頭——作爲單親父親的經驗。十一年前，這個角色突然強加在我身上。

　　失去女兒黛珍後，我開始思考禱告未蒙垂聽這個問題，我下定決心：即使心中充滿懷疑和困惑，還是要持續禱告，因爲我還有三個孩子要扶養。我和神抗爭，與神爭辯，向神祈求，等候神，把自己的要求在神面前攤開——也就是向神禱告——因爲我已經失去一個孩子，希望另外三個能得到最好的。父親的身分在禱告上教導我的功課，是其他任何事都無法比擬的。

　　朋友、同事和編輯提供了許多的協助，使本書精益求精。惠沃學院（Whitworth College）宗教系的人員——艾吉民（Jim Edwards）、麥泰瑞（Terry McGonigal）、莫睿傑（Roger Mohrlang）和畢凱思（Keith Beebe）——讀了初稿，並花了一個晚上和我討論初稿的優缺點。他們和我都同感欣慰的是，最後的定稿比最初的草稿改善不少。惠沃學院禮拜堂的院牧麥泰瑞還徵求了十二名學生，幫忙閱讀草稿和修定稿，學生的意見也非常有幫助。

米泰然（Terry Mitchell）、裴茱麗（Julie Pyle）、柯泰德（Ted Ketchum）、聶愷立（Kari Neff）、梁茱娣（Judy Lang）和歐蓋克（Greg Orwig）讀了手稿，然後在一天晚上來我家進行深入的討論。和他們在一起的當晚，令我醒悟到自己居住的斯博廣市（Spokane）是個具有豐富文化的社區。孩子們以前的褓姆潘安蒂（Andrea Palpant）讀完一份草稿後，希望我深入探索禱告的奧秘。同輩學者龐盼可（Pam Corpron Parker）、艾瑪莎（Marcia Everett）和孟恩思（Bill Mounce）也閱讀了一份草稿，並寫了詳盡的評論。從前的學生梁凱婷（Christy Lang）希望我重新思考第四章在神學上的細微差別。這些朋友促使我寫出更簡潔的散文，並且呈現出更清晰的思想。樊蒂娜（Donna VanderGriend）鼓勵我繼續努力，並讓我醒悟道自己原來能夠寫出值得一讀的作品。我的家人費黛安和費杰克（Diane and Jack Veltkamp）也在我寫作本書的過程中，對於草稿提出很好的問題。

三位學生王大衛（David Webster）、石蓋博（Gabe Schmidt）和奎安廷（Adam Cleaveland）提供了極大的協助，大為花了許多時間協助研究資料；蓋博打出註腳；安廷則搜尋並找到非常好的引文，列在數章篇首。

出現在此書故事裏的人物，都非常仁慈地允許我把他們的故事告訴大家，我非常感謝他們讓我寫出他們的經驗，也讓別人從他們的苦難中學習，因為他們的慷慨，我們因此變得更豐富，也更有智慧。

我的經紀人尚安（Ann Spangler）──經過這麼多年已

經成為我的好朋友——負責替我和 Zondervan 出版公司簽約，她也一直是個充滿創意的顧問、評論者和徵詢意見的對象。我的編輯樊珊琳（Sandra Vander-Zicht）始終對我鼓勵有加，在我最需要勉勵時勉勵我，一直對我有極大的期許。她對於優良作品的直覺總是使我感到驚異，我只希望自己能努力達到她的專業水準。Zondervan 的另一位編輯方芬菱（Verlyn Verbrugge）潤飾了手稿，並提出幾個有益的建議。陶堅民（John Topliff）和 Zondervan 的市場行銷團隊，也在過去數年大力協助我成為成功的作家，本書是我在 Zondervan 出版的第三本書，我非常感激他們為我所作的努力和投資。

我把黛珍深藏心中，她是本書的重心，從無片刻遠離我心，我獻上此書來紀念她。

堅持一生的禱告

序

生命中最大的悲劇，不是沒有回應的禱告，

而是沒有獻上的禱告。

邁爾（F. B. Meyer）

　　基督教信仰方面的難題，一直對我有很大的吸引力——例如：我們為甚麼會受苦？在未來看起來非常渾沌不明時，我們要怎麼發現神的旨意？但是對我而言，最令人困惑的問題恐怕是：神為甚麼不回應我們的禱告？這個問題令我苦惱，是因為禱告是基督教信仰中使我們覺得完全倚靠神的作法，如果神不回應我們的需要和請求，就會使我們感到非常失望。

　　我深刻思考這個問題，並且思考了許久，可是1991年我們家發生一個極大的悲劇之後，我更加思考這個問題，我覺得沒有回應的禱告突然成為攸關生死的問題。當時我知道：自己怎麼回答這個問題，會在未來的年歲中決定自己靈命路程的方向。

　　大多數禱告的人心中都有這個疑問，雖然他們很少承認，因為問這個問題似乎很不恰當，好像在領受聖餐時口出穢言一樣。然而，這個問題還是很重要，就某方面來說，這是最重要的問題。我們經常在最軟弱的時刻才轉向神；

那時，除非神介入，似乎一切都會失去。當我們呼求神時，為甚麼祂還是這麼遙遠、沉默和冷峻？如果神在我們最需要祂的時候不回應我們，那麼究竟為甚麼要禱告呢？

這裏談論的沒有得到回應的禱告，不是愚蠢、膚淺的禱告，不是多想一下就可能不敢說出口的那種禱告。我多年來作了許多這種可笑的禱告。在棒球場的露天看臺看球賽，當比賽快輸了，我祈求自己喜歡的球隊能獲勝；匆忙趕路時，我祈求紅燈變成綠燈；狼吞虎嚥、大吃大喝之後，我祈求胃痛能過去。我們如果抱怨神不回應這種微不足道的禱告，是很可笑的。

可是，有時候我們的禱告對我們自己而言很重要，對神而言應該也很重要——一位鄰居的歸主、戒除酒癮、生涯規劃的引導、一個生病孩子的痊癒、飢餓民眾的食物。我們帶著虔敬、信心和悔罪禱告，好像關乎自己的生死存亡——當然，可能真是如此。我們向神祈求的事似乎非常正確和真實。如果環境使我們企望祂介入，神卻沒有行動，我們應該怎麼辦？當神似乎忽視我們最正當的禱告時，我們很難接受這樣的事實，我們更難在這種情況下繼續禱告。

如果要從聖經中找出我最喜歡的人物，那必然非使徒彼得莫屬。他是個在屬靈上虛有其表的人，也是耶穌門徒中最勇猛的一個。大膽而性急的他勇於冒險、接受挑戰、直闖險境，可是他也莽撞衝動、經常犯錯。他是耶穌最親密的朋友，也是最大的麻煩。

本書有一點彼得的個性，我無法用不帶情感的客觀視

野來處理這個棘手的問題，好像我是在進行一個科學實驗，而被實驗的對象對於我或任何人都無關緊要似的。不論我怎麼努力深思熟慮和保持客觀，我也會在這些篇章中掙扎。我別無選擇，因為這個問題對我而言太重要了。

　　彼得是他那時代典型的猶太人，他熟讀詩篇。我不知道詩篇一百三十一篇對他有甚麼影響，我只能猜測：當他思考自己信仰的奧秘，並且成長為成熟的信徒時，詩篇對他會有深遠的影響。

> 耶和華啊，我的心不狂傲，
> 　　我的眼不高大，
> 重大和測不透的事，
> 　　我也不敢行。
> 我的心平穩安靜，
> 　　好像斷過奶的孩子在他母親的懷中；
> 　　我的心在我裡面真像斷過奶的孩子。
> 以色列啊，你當仰望耶和華，
> 　　從今時直到永遠！

　　詩篇一百三十一篇提醒我們：在苦思一些難題時，我們必須承認自己的極限。有許多我們可以學習的事物，但是也有許多我們無法得知的事。也許，神為甚麼不回應我們的禱告？這個問題甚至不是最應該問的問題，因為可能不會有簡單、方便，又顯而易見的答案。這個問題對我們來說，

可能太奧秘高深；面對這種奧秘時，我們怎麼回應也許比我們最終能否找到答案更為重要。

禱告沒有回應，這個問題很敏感，好像搔著一直不癒合的傷口。過去一兩年在幾個公眾場合，我問了一系列的問題，想瞭解這個問題引起多深、多大的關切。我問過「這裏有多少人曾經向神禱告，但神沒有回應？」大多數人總會舉起手來。我問「你們當中有多少人會說：這些禱告是慎重而真誠的，應當獲得神的回應？」大多數人又舉起手。「有多少人會說：這些不蒙垂聽的禱告引發你們生命裏的屬靈危機？」毫不令人驚訝地，大多數人再度舉起手。

問這個問題很危險，我覺得自己好像站在大峽谷的邊緣，直視著下面無底的深淵，心中充滿恐懼和疑惑。我想後退到安全的地方，可是全身僵直在原地。因為我心裏想要、也需要得到這個問題的答案，我發現自己不能不針對沒有回應的禱告問些艱難的問題。然而，我知道，這個問題的解答會造成威脅，一方面有可能讓我離開神，使我不想禱告；但另一方面，它也有可能讓我更親近神，使我更想禱告。

我發現自己並不孤獨，我認識的人多數都有相同的疑問、相同的苦惱，也站在相同的深淵邊緣。如果你是這些人當中的一個，我邀請你和我一起來探索這個奧秘。

第 1 章

神啊！你在聽嗎？

Are you Listening, God?*

治療一種病，
如果需要許多種藥物，
你可以確定：
那種病一定無藥可治。

　　　　——契訶夫，《櫻桃園》
　　　　　(A. P. Chekhov, *The Cherry Orchard*)

✝ 一年前，我在一場車禍中失去四歲的女兒黛珍，這場車禍也奪走我太太玲德和我母親葛絲的生命。她們如此突然和殘酷的死亡，讓我開始了一個持續到今天的靈性旅程。這個旅程既嚴酷難捱，又奇妙美好。在這些年歲裏，我途經的景色既淒涼蕭瑟，又美麗動人；我經過猶如月球般僵硬而死寂的沙漠，也經過野花繁茂的草原。我想過的問題多得自己無法數說，可是，即使在這麼多年後，有個問題還是沒有解決：這個問題就是沒有回應的禱告。

出車禍的那天早晨，我像女兒出生後的每天早晨一樣，也爲她能夠獲得保守而禱告，可是那天不知怎麼出了大錯，我爲黛珍所獻上的禱告竟然未蒙垂聽，或者當時看來似乎是如此。

當我們的孩子還年幼時，玲德和我遵守就寢規矩，有如季節一般規律，從來不敢鬆懈。如果我們想鬆懈，我們的孩子就會像水手過動似地抗拒我們。我們先讓他們洗澡，通常是一個個地洗，但有時候是一次幫兩個孩子洗澡。然後，我們把他們擦乾，給他們穿上睡衣，再讓他們上床睡覺。他們上了床以後，我們抱著他們，給他們讀故事書，並且唱歌。最後，在關燈以前，我們一塊禱告。他們通常立刻就睡著了，黛珍則例外，她非常會找藉口，盡量延長就寢前的時間。

我們也教他們怎麼禱告。我們從簡單的禱告開始，用世人皆知的這個非常古老的禱告詞：

現在我躺下睡覺，

主，求你保守我靈魂。

若我一覺不醒，

主，求你接收我靈魂。

這個禱告詞反應了一個憂慮，是我們這些置身於西方世界的人多半可以免除的。在疫苗、青黴素和手術出現以前，許多孩童因染患疾病而死，猶如病弱的動物還未成年就從獸群中被剔除一樣。很多死亡的病例發生在夜晚，父母懼怕冷酷的奪命者到來。在黑暗的陰影中，這奪命者會搶走寶貝孩子的生命。

玲德和我不僅和孩子一起禱告，我們也為他們禱告。我總是在清晨為他們禱告，我現在仍然如此。我會步履蹣跚地走進廚房，煮一壺咖啡。咖啡在壺裏煮著時，我會瀏覽報紙。然後我倒出一杯咖啡，再坐在一張特別的椅子上禱告。

我的一些禱告是形式化、不認真的，多半出於習慣性而不具真實的信心，可是當我為我的孩子禱告時則不然。玲德和我本來是不會有孩子的，卻在六年中有了四個孩子，如此神奇，使我深為感激，也深感責任重大。我從來不覺得自己可以稱職、合適地扮演父親的角色，我怕自己不能帶好孩子，所以我努力學習玲德的榜樣，向有經驗的父親們請教，並且禱告。

我是多麼真誠地為孩子們禱告啊！為他們禱告有如呼

吸。因爲深愛他們，希望妥善養育他們，所以我禱告，祈禱神使孩子們的信心成長，個性成熟，發現神在他們生命中的呼召，建立良好的友誼，也能爲人類的需要服務。我祈禱神會賜福他們。最後，我爲他們蒙保守而禱告。我沒有爲自己的禱告設下什麼前提或條件，更沒有說「如果符合神的心意」這類的話。我要他們得到安全，獲得保護，健康並強壯，我要看見他們長大並榮耀耶穌，我要他們比我長壽。

如果黛珍今天還活著，她會是十五歲，上高中二年級。現在在我的記憶中對她的長相，似乎變得有點模糊不眞實，即使我還能在想像中隱約看見她。玲德的容貌在我的記憶中還大致還停留在她死前的樣子，但是黛珍一定有所改變了，因爲，如果她現在還活著，她的容貌一定會有很大的改變。

我試圖想像她長成少女的模樣。她總是那麼可愛，也總是任性，像隻不能完全馴服的寵物。她會迅速閃過一抹頑皮的微笑，墊著腳尖走路，並逗弄她的兄弟姊妹。她不是笑，就是哭，沒有兩者之間的情緒。她會把我們逼到失去忍耐，可是她甜美的性情最後總會讓我們放聲大笑。我不知道她現在會是甚麼樣子——她的身高和長相、她的才能和興趣、她的個性和喜好。她會喜歡甚麼口味的冰淇淋？她會留甚麼樣的頭髮？誰會是她最好的朋友？她最喜歡的書和電影會是甚麼？

當意外發生時，我們都在車上，三個人死了，四個人

活著——我的女兒凱麗、我的兩個兒子大偉和強明，以及我。車禍現場很混亂，彷如末世，像災難片裏的場景。我們等了將近一個小時，才有一輛救護車開來，把我們送到最近的醫院，而開到最近的醫院又需要一個小時。我們四個人其實是默默地坐著車，好像坐在一座大教堂裏，被教堂的宏偉震驚得無法言語。這讓我有段時間——其實時間長得像永恆——思索。

我在那一刻就瞭解到：自己不能作甚麼來扭轉剛重創了我們這個家的災難。然而，像個在急診室採用非常手段、要抑制血流不止的醫生，我希望控制傷害。我看著三個精神上受到創傷的孩子，在當時、並在當場，我就決定不計一切，要幫助他們度過這場災難。從那時起，我對他們的獻身，強烈得猶如受了傷的動物要保護自己的子女。就在救護車上那悲哀、神聖的沉默中，我也為他們禱告。

可是幾天後，我心底浮現一個問題，這個問題像一個輕微的頭痛纏繞著我，無論服用了多少止痛藥，也不會消失。傑瑞，你為甚麼要禱告？你在出事的那天早晨明明為黛珍得蒙保守禱告了，可是你看看發生了甚麼事！為甚麼神不答應那個禱告？你從此還能再認真看待禱告這件事嗎？

禱告為何不蒙垂聽？

後來的幾年，我發現這個問題不只是我自己的問題，

也是絕大多數人的問題。神為甚麼不回答我們的禱告？不是我們有時候在危急時那種愚蠢、瑣碎的禱告，而是我們在非常需要時所獻上的真誠禱告。

對我而言，這個問題不再抽象，不再是在某些哲學課裏探討的那種問題，這是個真實的問題，真實得猶如那場迫使我問這個問題的痛苦經驗，我不找出這個問題的答案，就不能繼續禱告。

如果我們沒有認真看待禱告這件事，這個問題就不會這麼重要。不論在任何情況下，我們幾乎不必別人提醒就會禱告。祖父母會在節慶中獻上感恩的禱告，一個特別的軍事單位在進行秘密任務前，軍中牧師會為他們的安全禱告。父母會在孩子的病榻邊，痛苦地向神呼求。

在某種程度上，禱告是種習慣。因為是種習慣，禱告是我們學會、並且必須努力改進的事，尤其在我們不想禱告的時候。我們當中有些人能成功熟練而持續地禱告，這是努力和訓練的成果；我們當中還有些人失敗了，沒有天天禱告的動力。但是禱告也是種反射動作，正如醫生的木槌敲下時腿會抽動，或者當一聲巨響響起時眼睛會眨動。因為是種反射動作，禱告似乎與人類基本的天性相關，好像我們別無選擇，必須禱告。

面對危險或困難，機會或挑戰時，我們即使不確定是否真有神可作為禱告的對象，還是覺得必須禱告。

堅持一生的禱告

面對危險或困難，機會或挑戰時，我們即使不確定是否真有神可作爲禱告的對象，還是覺得必須禱告。

禱告也似乎有效，這就更加使人對於不蒙垂聽的禱告感到困惑。至少我們的一些禱告，確實常以驚人的方式獲得回應。在過去二十五年中，我親眼目睹許多對禱告的回應。我看見過一位癌症獲得醫治的年輕人（即使醫生的預測有如劊子手的一把刀擱在他脖子上）；我看見過復興的教會、破鏡重圓的婚姻，以及痊癒的心理疾病。我們也許因爲習慣或反射動作而禱告，可是我們也因爲禱告有效而禱告──至少有時候是如此。有些人甚至使用禱告日記，記錄他們的請求和神的回答。一種食譜如果能一再製造出絕佳的食物，我們很可能會繼續使用這種食譜。

但是，不蒙垂聽的禱告呢？雖然看起來是正確、真實並且良善的禱告，甚至當我們虔敬地禱告，相信這樣的禱告反應了神對我們的真正心意，但是我們的禱告不蒙垂聽時，該怎麼辦，要怎麼反應？在基督徒團體中，不蒙垂聽的禱告像是根刺痛的神經。因爲我們相信有神，所以我們禱告，我們把自己的需要──痊癒、復興、保守、引領、智慧──告訴神，可是神卻不把我們所需要的賜給我們。有時候，神似乎冷漠、遙遠得像一些遙不可及的星河。

我知道，針對這個問題，傳統的答案是這樣的：神回答每一個禱告，祂對某些禱告說「好」，對某些禱告說「不」。這樣的答案有其簡潔有力之處，是用簡單而理性的方式回答令人困擾的問題，可是，有時候，個人的經驗會令人難

以接受這樣的回答，這種回答公式經不起考驗。我可以瞭解爲甚麼神對某些禱告說「不」，但無法瞭解神爲何會在其他情況說「不」。一對夫婦雖然爲兒子的疾病得痊癒而禱告，最終還是失去了患上癌症的兒子，這該怎麼解釋呢？或者傳道人爲某處的宣教工作勞苦耕耘了多年，即使他們曾經求神賜下信徒，宣教工場還是因缺乏成果而被迫關門，又該怎麼說呢？再或者一群高中生即使曾經求神舒解好友情感上的痛苦，好友仍舊自殺身亡，又怎麼說呢？

　　神就是決定對這些禱告說「不」嗎？這似乎很難令人相信。

刺痛的神經

　　曾經擔任「年輕生命」（Young Life）主席和「世界展望會」（World Vision）副主席的米保博（Bob Mitchell），最近在我們教會講道，他引述了他在 1955 年五月（大約五十年前）收到的一封信。那封信是吉姆‧艾略特（Jim Elliot）寫的，當時他剛和他年輕的太太以及襁褓中的女兒搬到厄瓜多爾，去向奧卡族印第安人展開一個首次並創新的宣教事工。那些奧卡族印第安人住在偏遠地區，據說對外來者懷抱敵意。

　　吉姆‧艾略特在信中表達感激：「福音在這杳無人跡的廣大亞馬遜河流域緩慢傳開了一點。」他也提到米保博也認識的宣教朋友和伙伴愛德（Ed），愛德早就前往該地和

當地的部落進行接觸。懷著興奮和不祥的預感，吉姆・艾略特要求米保博為他們禱告，尤其要為愛德禱告。「聽說那個部落正在當地出沒巡邏，所以別忘了為愛德禱告——求主保守他的性命，並讓他在傳講基督的真理時能有果效。」

當然，保博沒有忘記為這些勇敢的朋友禱告，他為他們蒙保守和事工的成功禱告。他只是為這個新宣教事工禱告的許多人中間的一個，可是幾個月後，這些朋友——愛德、吉姆和另外三個人——被他們想接觸的那個部落的人殺害了，保博的禱告沒有蒙神垂聽。

許多其他的禱告也沒有蒙神垂聽，同樣的故事不斷重演，只是故事裏有不同的人，故事發生在不同的情況下，也導致不同的失望。

拿彼德和淑麗來說吧。他們六十幾歲，忠心為教會事奉了四十年，即將退休。彼德是牧師，淑麗是他的支持者和精力充沛的志工。他們最後服事的教會是他們最好的教會，雖然會眾眾多（星期日一般都有超過一千四百人聚會），可是教會就像他們的家。神也讓他們在教會的服事興旺繁盛，教會很健康，充滿活力，是社區的燈塔，能吸引身心破碎的人。

然後，批評開始出現。一些教會領袖開始質疑牧師的看法和教會缺乏爆炸性的成長。有位領袖說：「我們教會曾經是這個教派的佼佼者，我希望我們教會能再回到那種光榮的地位。」他甚至威脅牧師夫婦：「你們有六個月的時間改善，否則你們就得走人！」

彼德和淑麗非常震驚，他們以為執事會瞭解他們的哲學──讓教會在信心、愛心和服事中成長，最後教會的人數也會成長。他們嘗試說明自己的看法和所根據的聖經經文，他們強調隨時服事、破碎和認罪的重要性。

　　可是，批評持續不斷。教會的多數會員是支持他們的，很多人關心他們、為他們禱告，也鼓勵他們，尤其在衝突過程中更是如此。有些人保持遠離和沉默，但是有一小群人發起反對他們的運動，人們背叛他們，對他們作了虛假的指責。教會開始分裂，成為充滿敵意的地方，變成一個生病了的群體。

　　他們向神呼求，他們不時禱告，也請別人這麼作。他們禁食、要求神實現祂的應許，他們祈求獲得保守、能證明清白，並得到拯救。「我們記得約瑟在獄中、大衛在歌利亞面前、以利亞在迦密山上、但以理在獅穴裏、彼得在監獄中所獲得的拯救，我們的神是同一位神，祂會為我們爭戰。」

　　可是經過長久的戰鬥後，可以清楚看見：和解及和平是不可復得了，所以他們辭職，他們的告別像是場喪禮，損失如排山倒海──失去群體、友情、穩定的財務、名譽。

　　然而，最使他們感到驚訝和不解的是神的沉默。「神沒有回應我們的禱告，天堂異常沉默、冰冷、遙遠，好像是銅鐵打造的。我們好像在敲打、捶擊天堂之門，直到我們的指關節都皮開肉綻，血流不止，可是仍然只有沉默。如果你得到的只是沉默，為甚麼還要禱告呢？」

　　或者以安德為例。我們一家人在 2000 年的夏天去肯亞（Kenya）作志工時遇見安德，安德是名難民。他有十年沒看見家人或聽見任何有關他家人的消息，也不知道家人是否還健在。但是，苦難反而使他更崇高、更具深度，他成為虔誠的基督徒，希望作牧師，在非洲服事。所以，他去奈洛比（Nairobi）市上大學，我們遇見他的時候他快要畢業了。

　　他對自己的未來有很大的抱負。他認為：要為牧養作最好的準備就必須前往美國，他研究學校、申請入學許可、為獲得資助而排隊，最後他選擇的學校接受了他的申請，萬事似乎俱備，只欠一個簽證。當他與大使館人員會面時，他帶著提供資助的信件、財務證明，以及奈洛比當地一個興旺的福音派教會的背書，他也獲得在政府工作的人的教導。他作了所有當作的事，只差沒有賄賂。

　　他也為留學過程中的每件事禱告，因為他確信是神的心意要讓他到美國念書，他也相信美國能提供他最好的教育。他覺得一切似乎都非常清楚，可是政府不給他簽證。他再試一次，認為神在試驗他的信心，還是沒有簽證。他試了第三次，又空手而回。他的禱告沒有獲得垂聽。

　　有多少故事得到相同的結果？我們祈禱除去某種癮頭，卻繼續被那件令人苦惱的事纏擾。我們祈禱獲得引導，卻還是前途茫茫。我們祈禱生病得痊癒，可是深愛的人在青春年少時死亡。我們祈禱重修舊好，可是婚姻以苦毒的離婚收場。我們祈禱社會有正義，可是不見種族岐視和貧

窮的消滅。我們祈禱飲食充足，可是無助地目睹他人飢餓而死。

路易斯（C. S. Lewis）年僅九歲時，他摯愛的母親得了癌症，醫生就在他家為他母親動手術。半個世紀過後，路易斯仍然能夠駭人而清晰地描述當時所看到、聽到和聞到的一切。路易斯拼命為母親的康復禱告，正如年僅九歲、極為害怕的小孩所能作的。可是，一切都是枉然。母親的死亡——失去親人這件事、他父親性格的轉變、他家遭受的衝擊——留給路易斯永難磨滅的印象，導致他棄絕基督教，這都是因為禱告不蒙垂聽。[1]

有位朋友最近寫信給我，她曾和許多人一起為自己婚姻的破鏡重圓禱告（她的婚姻後來以離婚收場）：「我知道這件事動搖眾多基督徒的信仰，們對於神是誰、祂有甚麼作為，他們都抱持著虔誠的信念。我還是不明白，我真地想要明白。把紗帳揭開，只讓我看見神的些微回應，會很困難嗎？」

想想我們經常因著禱告不蒙垂聽而感到失望，那麼，我們竟然願意繼續禱告，這真是個奇蹟啊！正如作家和神學院教授譚碧波（Barbara Brown Taylor）所問：「為甚麼我們當中的任何人會不斷祈求一些我們知道不會實現的事？為甚麼我們不斷把期望的錢幣丟進吞吃我們的渴望、卻不

1　Armand M. Nicholi Jr., *The Question of God* (New York: Free Press, 2002), 28-29。

發出一點聲響的寂靜死水中？」[2]

027

第
一
章
神
啊
！
你
在
聽
嗎
？

簡單的答案

　　自從那場意外發生後，很少有人會想要解釋爲甚麼會發生意外，藉此來減輕我們的創痛，然而還是有兩個人這麼作。其中一人說：「眞是個無法彌補的損失，可是我相信你是被揀選，爲了要成就重要的事工。」我想對那人說：「你是說我們在出意外以前沒有進行任何重要的事工？」另一個人說：「我想神覺得她們非常特別，所以祂要她們去天堂和祂在一起。」我想對那人說：「難道說神不覺得我們其他人也很特別嗎？」這些說法是出於好意，可是毫無幫助。

　　還有其他簡單方便的答案。我們可能對剛失去摯愛的某人說：「嗯，至少她現在是在一個更好的地方。」所言當然可能甚是，卻不能帶來多少安慰。如果這種說法確實千眞萬確，那麼我們可能應該禱告，讓我們每個基督徒的家人和朋友都盡快死去，他們才能到一個更好的地方，和神一起住在天上。

　　「神的道路高過我們的道路，」有人這麼說，使先知以賽亞這句強而有力的話變得平凡無奇，好像神的道路奧

2　　Barbara Brown Taylor, "Bothering God,"*Christian Century* (March. 24-31, 1999), 356。

秘無比，使禱告變得無關緊要和陳腐過時。

「我想你的禱告不合神的心意，」另一個人這麼說，暗示說神的心意是我們無從得知的，也和祂在聖經中的應許毫不相關。

「即使是神，也無法逆轉事件發生的自然軌道，」還有另一個人這麼說。可是我們讀新約聖經時，卻讀到神逆轉了事件發生的自然軌道；如果神當時那麼作，現在為甚麼不？

其實，聖經只是使問題更無法解答。聖經給我們一些偉大的應許，神未必總是信守——或者神似乎不總是信守承諾——事實上只會使我們感到失望。想想耶穌自己所作的這個令人吃驚的應許吧！

> 我又告訴你們，你們祈求，就給你們；尋找，就尋見；
> 叩門，就給你們開門。因為，凡祈求的，就得著；尋找的，
> 就尋見；叩門的，就給他開門。
>
> —— 路加福音十一9～10

> 我實實在在地告訴你們，我所做的事，信我的人也要做，並且要做比這更大的事，因為我往父那裏去。你們奉我的名無論求甚麼，我必成就，叫父因兒子得榮耀。你們若奉我名求告甚麼，我必成就。
>
> —— 約翰福音十四12～14

光是讀這些文字，會得到一個簡單的結論：如果我們禱告，神會回應。那麼萬一神不回應我們的禱告，我們該怎麼辦？

經典作品《禱告的學校》的作者慕安得烈（Andrew Murray）主張——非常正確的主張——神的應許是禱告有效的基礎。我們禱告並不只因為神命令我們這麼作，也是因為神應許要回答我們的禱告。我們確信禱告會蒙垂聽，我們的確信正是從耶穌而來。神的應許，是我們可以支取、也必須支取的。

但是，慕安得烈對於耶穌這方面的教導非常確信，以致他相信未蒙垂聽的禱告都是不好的禱告，也就是說，都是我們的錯。

> 天國永恆不變的定律是：如果你祈求了卻得不著，一定是因為禱告中有甚麼錯誤或者欠缺。你要堅持下去，讓神的話和神的靈教你正確的禱告，可是不要放棄祂要喚起的信心：凡祈求的，就得著。[3]

如慕安得烈所說，耶穌喚起一種期待，那就是我們的禱告會蒙垂聽；可是，如果我們的禱告不蒙垂聽，怎麼辦？難道一定是因為我們沒有足夠的信心，我們不知怎麼獻上了

[3]　Andrew Murray, *With Christ in the School of Prayer* (Old Tappan, N.J.: Spire Books, 1974), 33＝慕安得烈著，董挽華、吳碧霜譯，《禱告的學校》（台北：校園，1986），31。

錯誤的禱告，或者我們的禱告就是不配獲得回應？

　　為甚麼神不回答我們的禱告？如果禱告不蒙垂聽，我們究竟該怎麼辦？

問題出在我們？

　　我對這個問題可能的答案思考了許久，覺得答案會是下面幾種。首先，可能是我們的動機有誤。我們可能作了假冒偽善的禱告──心中懷抱怨恨、故意犯罪、作愚蠢的要求、或自私自利地祈求。換句話說，我們可能像個雇員，很有禮貌地請他上司讓他升職，然而上司知道這個下屬幾個月來一直在毀謗他。我們都知道禱告不蒙垂聽可能是我們自己的錯，我們可能用了一種不好的方式禱告。禱告不蒙垂聽讓我們嚴肅而仔細地檢視自己，常能因此把我們屬靈生活中不體面的、多數人未曾看見的一面顯露出來，這一面像大大小小的蟲，躲在花園裏裝飾用的石塊下面。

　　其次，可能是我們的信心有誤。我們可能只有足夠的信心禱告，敢於求神應允我們某件我們認為重要的事，可是沒有足夠的信心接受禱告所得到的回應。可能我們禱告時心中有太多懷疑。譬如，我們向神祈求亟需的金錢──也許用來給孩子買吃的，或用來付過期的醫藥費──可是對於神會回應我們的禱告缺乏信心。懷疑的種子就像野草在土壤裏生根發芽，無論我們怎麼砍除，還是不斷再生。我們知道自己沒有全心真誠地禱告，不是因為我們不相信神會

回應我們的禱告，就是因為我們不認為自己配獲得神的回應。

　　其三，可能是我們禱告的方式有誤。我們沒有使用正確的字、遵循正確的模式、作正確的請求、用足夠的力量說話。美國的文化迷信技巧，我們認為一旦掌握了正確的技巧，世界就是我們的。為了教我們學習這些技巧的書、錄音帶、錄影帶、和講座，我們每年花上幾十億元。有時候我們也用同樣的態度來禱告，如果我們知道該說甚麼和怎麼說，我們就會得到回應。

　　在明朝，中國的皇帝為祈求帝國的興盛而建造天壇，當他站在某顆石頭上向天禱告，他自己的聲音會傳回來，聽起來像是在大叫，可是站在他身旁的任何人都只會聽見很小的聲音。傳統的看法是皇帝站在那個特定的位置最能讓天庭聽見他。就是要這麼禱告才行嗎？

　　這些解釋有可取之處，都有些真理。動機單純非常重要，也非常必須，信心亦如此，正確的說話亦然。我不駁斥這些，但是這些解釋也無法讓我產生共鳴，因為我認為這些說法使我們進行不必要的反省，也導致自我懲罰。難道神只回應聖人完人的禱告、只回應完美陳述的禱告、只回應具有完全信心的禱告？

　　試想一個在衝突家庭中長大的青少年，父母爭吵不休。她儘量躲避爸爸，和媽媽也不和，她對父母兩人都感到憤怒。她討厭爸爸的消極，媽媽多變的脾氣。每天晚上她禱告父母能和好相處，可是似乎沒有任何改善。她知道

自己禱告的動機不單純，信心不完全，禱告詞不優美、精準、或滔滔不絕。難道這就是她的禱告不蒙垂聽的原因？

我認為把每個不蒙垂聽的禱告解釋成禱告的人自己犯的錯誤，是個簡單方便的作法，至少對這個問題有了個理性的解釋：要怪就怪我們自己，每次都要怪自己。可是這樣的答案不正和我們禱告的理由相衝突嗎？我們禱告是因我們是脆弱、破碎的人。如果我們必須要用絕佳的表現、精確的說話和從不搖擺的信心，來證明自己的禱告值得回應，我會覺得這根本是不可能的苛求。對我而言，禱告時帶著

> 對我而言，禱告時帶著啐罵的唾沫、喃喃的低語和哀傷的哭泣，才更真實。

啐罵的唾沫、喃喃的低語和哀傷的哭泣，才更真實。

無論配或不配，禱告的人從自己轉向神，尋求祂的憐憫。當我們來親近神，我們沒有任何籌碼，沒有可以交換的物資，沒有一個正義的總數可用來買到對禱告的回應。釘在十字架上的盜匪不需要上完一個更新的課程，耶穌才會對他說：「今日你要同我在樂園裏了。」

問題出在神？

可是對於這個問題還有一個可能的答案，那是更令我不安的答案，那就是問題可能出在神。不蒙垂聽的禱告說

堅持一生的禱告

明了神哪一個屬性？耶穌教導我們說：神像個父親，祂關愛我們，願意滿足我們的需要。如果像耶穌所說，神是個慈愛的父親，祂爲甚麼不回應我們的禱告？當子女所求正當，父親不就應該滿足孩子眞實的需求，並且慷慨地回應嗎？禱告不蒙垂聽使神看來疏離、遙遠、不關心，比較像個喜歡虐待人的上司，而不像個慈愛的父親。禱告不蒙垂聽似乎引發許多疑問，懷疑神究竟是否眞正愛我們。

　　猶如許多針對禱告主題寫作的作者，二十世紀初紐約市具有歷史意義的河邊教會（Riverside Church）著名的牧師亨利・富司迪（Harry Emerson Fosdick）認爲：禱告只有以神的屬性爲依據，才會具有意義。「至少就禱告而言，漠不關心的神就不算是神。」[4] 可是我們怎麼知道神關心與否呢？我們當然看見神的屬性，在聖經中耶穌的故事裏清楚彰顯，但是我們也在禱告時體驗了祂的屬性。禱告不蒙垂聽說明了神的哪一個屬性呢？

　　當我探索神爲甚麼不回應我自己的禱告這個問題時，我懷疑究竟能否找到一個答案。也許神爲了某個只有祂自己知道的理由，不論我們認爲自己的禱告是多麼正當，選擇不回應我們的禱告；祂這麼作的理由，可能現在和未來都永遠會是個我們無法理解的謎。

　　可是，這是甚麼樣的答案呢？如果我們永遠不能知道

---

[4]　Harry Emerson Fosdick, *The Meaning of Prayer* (New York: Association Press, 1915), 40。

神爲甚麼不回應我們的禱告，我們就永遠不能學會用更大的信心和決心來禱告，我們甚至永遠不敢禱告了。我們只能搖頭，被神的捉摸不定所困惑。我們禱告的動機會流失，好似我們的靈魂有了個裂縫。我們最後會放棄努力，停止禱告，並向命運低頭。

似乎不論你從哪個角度來看，這個問題還是存在。

我的心思飄轉到 1991 年九月二十七日的早上，我無數次在心裏仔細回想那天早上。我努力回憶自己那天究竟禱告了甚麼、和怎麼禱告，我懷疑自己是否說錯了話、或用不當的方式禱告。我太輕率、太自信，還是太不慎重？我缺乏信心和誠心嗎？我也想到神。那天祂是怎麼了？祂在哪裏？神和我一樣也感到震驚嗎？還是神計劃了這場意外，只是照著祂在世界開始之前就寫下的劇本行事？

那天怎麼了？爲甚麼神不回應我的禱告？

Questions
for
Discussion

1. 想想神沒有回應你的禱告的時候，結果
   如何？你覺得怎麼樣？

2. 就禱告而言，你怎麼看待聖經裏的所
   有應許？

3. 爲甚麼神不回應我們所有的禱告？本
   章陳述了那些可能的原因？

4. 禱告不蒙垂聽，問題出在哪裏？問題出
   在我們？出在神？有其他的解釋嗎？

堅
持
一
生
的
禱
告

第 **2** 章

真實禱告的精神

The True Heart of
Prayer

話說得最少時，我們可能禱告得最多，
話說得最多時，我們也可能禱告得最少。

——聖奧古斯丁
(St. Augustine of Hippo)

大多數的時候，我是安安穩穩地坐在搖椅上禱告，我的禱告是眞誠的，卻不是充滿急切的渴望，至少不像我在意外發生後很長一段時間裏所獻上的禱告；在後來那段時間，即使我有時懷疑自己禱告的對象，還是必須向神禱告。現在我的環境好多了，以至於我不確定自己的禱告是否確實需要被神回應。當然如果神會回應，那最好，就像是如果能把我那輛 1991 年的老車換個新的敞篷車，那當然最好不過。

相當舒適和豐盛的生活，使我的禱告不再那麼急迫，我還是說出我的禱告，可是不總是大聲向神呼求。如果禱告不蒙垂聽，我當然覺得失望，可是不會造成信心上的危機。怎麼會嘛？因爲如果禱告不蒙垂聽，我並不會覺得有太大的損失。結果是我可能自滿，我的禱告可能變得不愼重，稀鬆平常得好像在餐館飽食之後再叫個點心似的。即使不叫點心，我還是撐著肚子離開餐館，即使禱告不蒙垂聽，我還是能照常過日子。

在這種情況下獻上的禱告，並不是錯誤或可鄙的。我現在的生活舒適、安定，不是我自己的作爲，而是要感謝神的慈善。謝恩的禱告表示我們知道自己生活的富足是神慷慨賜恩的結果，可是富足也可能把我們誘入自滿和自負中。

禱告不蒙垂聽，絕對不會變成嚴重的問題，除非我們確實需要禱告蒙垂聽，除非我們的生命就指望著這個回應，我們才會因迫切需要而呼求神。我們是因急迫而禱告。當

所有其他解決的途徑都被去除，當我們站在無底深淵的邊緣，當我們空著雙手、帶著痛苦的心來接近神時，我們就比較能有一顆禱告的真實心靈。然而，對於不蒙垂聽的禱告所帶來的極大失望，我們也就會覺得特別敏感脆弱。

　　急迫感促使我們禱告，如果我們的禱告不蒙垂聽，急迫感也會促使我們感到絕望。

我們迫切需要神

　　我幾個月前才遇見凱文，他看起來像是個最近剛大病初癒的人。他很高、很瘦，留著修剪整齊的鬍子，穿著牛仔褲和棉絨襯衫。我們在「城市之門」（The City Gate）服事，那是在斯博廣市中心一個店面式的教會，專門服事貧窮、無家可歸、坐過牢、離家出走、嗜酒、和有其他癮頭的成人或孩子。那裏既是教會，也是公益廚房、診所、食品捐獻處、和隨時接受來訪的中心。

當所有其他解決的途徑都被去除，當我們站在無底深淵的邊緣，當我們空著雙手、帶著痛苦的心來接近神時，我們就比較能有一顆禱告的真實心靈。

　　我們剛為大概一百五十個人提供晚餐，每個星期三晚上的晚餐是義大利麵、法國麵包、生菜沙拉、桃子和蛋糕。大約有三十個人留下

來，圍坐在數張桌子旁聊天、喝第二杯咖啡、或者玩紙牌。

我自我介紹。

「你好，我叫傑瑞，幾乎每個星期三晚上我都會來。我沒見過你，你第一次來嗎？」

「對，剛到斯博廣市。我叫凱文，很高興認識你。」

我們握手。

「你怎麼知道『城市之門』的？」

「我這個星期稍早遇到幾個人，他們告訴我這個地方，我就來了。現在我在這裏，已經開始服事了，我猜他們真地需要幫手。」

「你作甚麼呢？我是說你作甚麼工作？」

「現在我沒工作。」

「你住哪裏呢？」

「我現在睡在一個朋友家的客廳，直到我找到住的地方為止。我上個星期剛遇見這個人，睡他家的沙發可以讓我不必睡在街上。」

「你在這裏有家人嗎？」

「沒有，我有兩個孩子，可是我很久沒有看見他們了。一個住在波特蘭（Portland），一個在監獄服刑。」

接下來是令人窘迫的沉默。我覺得臉上發熱，因為非常難為情。我想把話題轉開，可是我已經問完了所有問題。我又犯了同樣的錯誤，違反在那裏服事的一個重要原則：在「城市之門」，你不能問愚蠢的中產階級式的問題。

然後凱文看著我，好像用十分寬容的行動來原諒我的

愚蠢，他說：「我吸食海洛因十七年，失去了一切——我的工作、家庭、健康。我剛接受完戒毒治療，耶穌幫助我斷絕了毒癮；沒有耶穌，我不知道怎麼辦。」

突然，一切都改變了。我不再是英雄般的旁觀者，每個星期來「城市之門」一次，服事那些我們喜歡稱之為「比較不幸的人」。我是站在一個聖徒面前，他知道：沒有耶穌，自己可能已經死了。

在那一刻，我明白了自己為甚麼去「城市之門」。我的動機絕對是複雜的，我志願前往，是為自己，也是為這個店面式教會所服事的人。我以前想：「因神的恩慈，我去那裏。」我不再這麼想了，現在我想：「因神的恩慈，我必須在那裏」——在那裏，和那些在社會的邊緣的人在一起，。

我實在太快就忘記自己是多麼需要耶穌，我們都多麼需要耶穌。在「城市之門」，我更能清楚看見、頭腦知道、但心裏不總是知道的真理——耶穌為甚麼來，耶穌和甚麼人相處，耶穌多麼愛有需要的人。我不羨慕這些人的處境，可是我確實羨慕他們的瞭解——原始、持續、深刻地——瞭解自己需要神的恩典。我的生命充滿了許多財富、特權和成功，我有對神感到麻木的危險，猶如加爾文（John Calvin）所說，太過「被神的溺愛給寵壞了」。[1]「城市之門」提醒

---

[1]　John Calvin, *Golden Booklet of the True Christian Life* (Grand Rapids: Baker, 1952), 53＝加爾文著，譯，《基督徒生活手冊》（台北：改革宗）。

我自己是多麼倚靠神，即使我不自知時也是一樣。我享受了神所賜的許多世俗禮物，可是我會忽視送給我禮物的人。諷刺的是祂的禮物讓我看不見自己迫切需要祂。

我回顧自己多年來的禱告，看出一個共同的主題。很多時候，只有在真正需要、困難迫使我必須禱告時，我才禱告，我是為了某件事感到迫切，知道自己需要神的介入、神的幫助、神的恩典。我開始一個新工作，覺得不適任時，我會禱告。當心愛的人生病，我感到無助時，我會禱告。當家裏出了問題，沒有簡單的解決之道，像凱麗和大偉的爭吵不斷，我會禱告。當宣教朋友在某地事奉，他們的教會面臨危機，我會禱告。我也向神禱告——啊，我會多麼熱切地禱告！——求神在意外發生後，恢復我們家的秩序、平衡和完整。

法利賽人和稅吏

耶穌說了一個故事，向那些「仗著自己是義人，藐視別人」的人挑戰（路加福音十八9）。耶穌一向如此，祂用當時常見的事來說故事，並藉以向傳統的智慧挑戰。

祂的故事裏只有兩個主角——一個是法利賽人，另一個是稅吏。他們都上殿裏去禱告。法利賽人大膽地走到聖殿的前面，告訴神為甚麼他比任何人都好的所有理由，他列舉自己在宗教上的作為，好像他站在神的那一邊是神的好運。然後，他志得意滿地結束了禱告，離開聖殿。相反地，

那個稅吏站在聖殿的後面，不敢舉目望天，只捶著胸，喃喃低聲說：「神啊，開恩可憐我這個罪人！」（路加福音十八 9～14）。

　　法利賽人是社區中正直的居民和領袖，好比我們社會裏的牧師或醫生。他們體現了猶太文化裏正確、高尚和眞理的一面，他們也非常願意在日常生活中，藉著遵守舊約中的摩西五經來服事神。他們希望能被「分別出來」——正是法利賽這個名字的基本字義——使自己能抵擋俗世中不虔敬的侵害。羅馬帝國佔領以色列，引發了許多怨恨，法利賽人反對羅馬的佔領，並努力保存猶太人的信仰。他們的作法在當時深受歡迎，吸引了廣大群眾的追隨，雖然沒有多少人能按照他們嚴屬的標準生活。

　　但是，稅吏這個行業的名聲不佳，是其來有自的。羅馬帝國是個巨大的外來政權，羅馬士兵有時很殘忍，大多數猶太人都厭惡羅馬人，其中一個最明顯的理由，就是羅馬人所採行的徵稅制度。猶太人要付非常重的稅給羅馬帝國，就必須有人去收這些稅，這個令人討厭的工作就交給少數猶太人中的叛徒，他們爲羅馬人作事，掠奪自己的同胞。這些猶太稅吏變得很有錢，可是也非常不受人歡迎，在我們文化裏最近似的人是像老鴇或販毒者之流。

傲慢的禱告

　　耶穌在路加福音十八章的故事，並不是譴責法利賽人

的生活方式，也不是譴責稅吏的生活方式。法利賽人的不是，在於他的驕傲和輕慢，他輕視別人，把他人視為劣等，他因為別人道德上的瑕疵和宗教上的不虔敬而藐視他們。

法利賽人因為自己的好行為，就認為自己是虔敬愛神的人。他過正直的生活，向神和人盡義務，也在敬神的行為上有超乎常人的表現。就某方面而言，法利賽人很有理由為自己在宗教上的成就感到驕傲，畢竟他作了自己在禱告中所說的每件事，他的表現很令人印象深刻。而且，他還為自己的成就向神表達感謝，這至少表現出某種程度的謙卑和虔敬。問題是他認為神也應該感謝他——為了他為神所作的一切感謝他。

盡了他最大的虔誠，法利賽人的禱告有如感恩節的禱告。他告訴神：他很感激，因為自己不像那些違反道德和法律的「壞」人——竊賊、姦淫者、殺人者之徒——甚至也不像眼角瞥見的稅吏，稅吏的名聲使那人成為以色列人中的局外人。法利賽人提醒神：他奉獻了所得的十分之一，也一個星期禁食兩次，行為超過當時人對宗教領袖的期望。

這個法利賽人是受敬重的領袖，接受了良好的教育，在猶太教會中很活躍，是社區中的棟樑。如果他活在我們的世界裏，會是那種為正當的理由捐獻、參加委員會、繳交全部應繳的稅、捍衛道德秩序、盡量公開進行虔誠的敬神行為、關心家人、也把庭院整理得毫無瑕疵的人。他絕不會考慮和妻子離婚，不看引起爭議的電影，也不怒罵在自己兒子的籃球比賽中作了錯誤判決的裁判，即使是悄悄

地罵也不會。這個人很正直。

我們是法利賽人嗎？

我突然明白自己是這個人，自己是這個法利賽人。我將自己和那些前往「城市之門」的人做比較，正有如法利賽人和稅吏相比較，我的世界和那些人的迫切需要相距甚遠，我自鳴得意地覺得自己的一生有一些成就。

在普林斯頓神學院（Princeton Seminary）任教的宣教學家古達仁（Darrell Guder）曾經說：我們如果要瞭解新約聖經和我們個人生活的相關性，就必須用我們屬於法利賽人那一群的方式來讀新約聖經，因爲我們如果活在那個時代，大多數人都會是帶著名片、有好名聲的一員。像他們一樣，我們許多人有成功的生活，我們也把自己的成功歸因於宗教。

我的宗教信仰當然爲我製造了很多奇蹟，如果我有創業精神，又會行銷，可以賺進許多錢。我的宗教信仰幫助我節制食慾、強化友誼、使生活安定，並且能爲他人服務。我所成就的遠超過自己所曾想像的，我所獲得的獎賞也遠超過我所應當獲得的。我享受的許多豐盛可以直接或間接歸因於宗教信仰，而且我一定盡可能感謝神和其他人。我的虔誠絕不輸人！

諷刺的是，我作基督徒的生活品質會誘使我變得驕傲，藉別人的失敗來評估自己的工作，也藉別人的痛苦來

慶幸自己的境況。就像那個法利賽人，我滿懷感恩，因為自己不貧窮、沒有失業、不被人討厭，也不必為大的困難煩惱。

路易斯認為：驕傲使我們用「比較」和「競爭」的這兩個字眼來思考事情。不管我們比較的標準和競爭的對象是甚麼，驕傲使我們覺得高人一等，也就誘使我們忘記神。

> 在神裏面，你面對的是各方面都遠遠優於你的存在。除非你知道神是如此──因此知道：相較之下，自己甚麼也不是──你根本無法認識神。只要你驕傲，你就無法認識神。驕傲的人總是輕視事物、輕視人：當然只要你垂眼鄙視，你就無法看見高過你的存在。[2]

如果要找到和法利賽人的禱告相近似的例子，我們不必捨近求遠，在許多地方我們都能聽見重複法利賽人禱告的回音。在國會，我們可能聽到有人禱告說：「我感謝你，主，使我不像民主黨的人，他們試圖保持自己的合時宜及受歡迎，結果徒勞無功，反而犧牲了傳統的價值觀。」在大學裡，我們可能聽到有人禱告說：「我感謝你，主，使我不像保守人士，他們堅持愚蠢的想法，有智慧的人都不

2　C. S. Lewis, *Mere Christianity* (New York: Macmillan, 1943), 111 ＝廖湧祥譯，《基督教信仰正解》／《如此基督教》（台南：東南亞神學教育協會，1974），94＝魯益士著，余也魯譯，《返璞歸真》（香港：海天，1998），98。

再相信那種想法了。」在一個地區的教會，我們也可能聽到有人禱告說：「我感謝你，主，使我不像自由派的基督徒，他們現在幾乎甚麼都不相信。」

接著是一長串的禱文，說明自己的成就和信用。政治人物說：「我反對墮胎，希望撤除教育部，並且支持讓一般人都能上私立學校的減稅計劃。」大學教授說：「我努力保有開明的思想，每當我看見多元的差異性，我都加以讚美和尊重。」福音派的基督徒說：「我捍衛傳統道德和傳統基督教的信念，比如童女生子、基督身體的復活、和聖經的完全無誤。」

行為和真理的標準不是相對的，我們再次看見：就整體來說，法利賽人過的生活確實比稅吏健康、有益。如路易斯所言，法利賽人的錯誤不在於他的生活方式，而在於他的驕傲。

德國神學家邸立基（Helmut Thielicke）曾針對耶穌的比喻有精彩的論著，他評論法利賽人的主要錯誤在於：

> 在法利賽人這個角色身上，我們面對了一個驚人的暴露，暴露的是基督徒的罪，你的罪和我的罪，我們的罪，因為我們默默地將自己的基督教信仰，當作一種道德的標記，並且給基督教一種令人討厭的特權氣味。法利賽人的驕傲是基督徒最可怕、也最有傳染力的疾病。[3]

---

[3]　Helmut Thielicke, *The Waiting Father* (San Francisco: Harper &

或者我們是稅吏？

然而，稅吏知道自己必須擔憂，因為自己是個罪人。他的比較標準是神。他忘記了聖殿裏法利賽人的存在，他只知道有神。邸立基再度評論道：「當一個人帶著愁苦的心靈，真正轉向神時，他完全不會想到別人。他完全孤獨地與神單獨在一起。」[4] 稅吏並沒有說明他個人的需要，我們不知道他的問題在哪裏——一個揮之不去的罪、一個生病的孩子、與猶太人同胞隔絕、對自己的財富不再抱有幻想。

無論他有甚麼需要，稅吏站在神面前，覺得自己非常卑劣、完全不配，根本不敢接近神。不像法利賽人，他沒有走到聖殿前方，只站在後面，那裏是不受歡迎的人聚集的地方。他深感自己的恥辱，以至於只望著地面，好像自己的眼睛因沉重的罪而下垂。他深感自己莫大的需要，以至於在痛悔中捶著胸。幾乎不能言語的他，吐出一句很短、很簡單的禱告：「神啊，開恩可憐我這個罪人！」他的無比空虛，使他無從述說，只能說他需要神的憐憫。

耶穌說稅吏的禱告才是合適、可被接受的。他可以被神視為義人並回家去，但法利賽人不可以，因為稅吏知道並且承認自己真正的需要。

堅
持
一
生
的
禱
告

Row, 1959), 133。

4　Helmut Thielicke, *The Waiting Father*, 133。

真實禱告的精神

　　眞實禱告的精神就在於這迫切的呼求。在基督徒的信仰旅程中，我們會在某時某處掌握禱告的技巧，養成禱告的紀律，也對於禱告感到自然和自信，可是最基本的是我們禱告的精神，是我們心靈的呼求，求那唯一能滿足我們最根本需要的神。迫切是眞實禱告的先決和首要條件。稅吏因迫切而禱告，他實在從各方面來說都是不配得到神的恩典，不應該向神求，也不會被以色列人的宗教團體所接納——他自己也知道。

　　我們不多禱告——也可能因此沒有常看見禱告蒙垂聽——的原因，不在於我們不知道怎麼禱告，而在於我們不是眞正需要禱告，我們並不感覺到非常迫切。然而，要讓我們感到迫切其實很容易，我們每個人都有根刺痛的神經，一旦碰觸就會迫使我們立刻跪倒在地。

　　我最近在德州多山的鄉間一個退修會演講，好朋友夫妻兩人從機場開車送我到退修中心。他們好像擁有一切——一棟承繼自先人、占地兩百二十畝、俯瞰河流的華麗房屋，事業成功，有一架私人飛機，朋友眾多，家庭美滿，婚姻也幸福。可是去年春天，他們上大學的女兒在路上行走時被撞身亡，三個月後朋友被診斷出得了癌症。

　　富足不再對他們有太大的意義，他們因迫切而禱告。

　　我認識的一位牧師，娶了一位妻子，她原來有一個兒子，是問題青少年。幾個月以前，他的繼子在他們家後門

外面，用他的獵槍射酒瓶。其中一瓶還有酒，他母親出去拿，他要求她把酒瓶還給他，她拒絕了，他就舉起獵槍，瞄準自己的下巴，威脅要自殺，又把槍對準母親，說他要先把她殺了。她求他不要開槍，最後他在她左肩稍上方開了一槍，才把槍丟在地上，然後好像甚麼事都沒發生似的，鎮靜地走開。

他們立刻把槍藏起來，打電話給當地醫院的精神科。然後兒子的生父趕來，接著進行了許久的爭論和協調。最後，兒子同意住進精神病房。他們後來從朋友那裏得知，兒子曾經數度想要自殺。他們很感謝神，因為那天兒子沒有殺人，但他們生活在恐懼中，因為怕兒子以後還是可能會殺人。

他們因迫切而禱告。

必須把子女送往幫派控制的學校，關愛的父母會因迫切而禱告。當家中有孩子的生命受到癌症的威脅，家人會因迫切而禱告。知道冬天即將來臨，無家可歸的青少年會因迫切而禱告。渴望這些孩子迷途知返，他們的母親也會因迫切而禱告。在世界上某個發生激烈衝突的地方調停，希望避免戰爭，外交官會因迫切而禱告，如果爆發戰爭，會受到影響的人也會因迫切而禱告。

我喜歡的電影之一是《風雲人物》（*It's a Wonderful Life*），電影敘述一個好人白喬吉（George Bailey），為了某些身不由己的原因，被迫留在故鄉淺灘瀑布市（Bedford Falls）經營家族的生意。他覺得失望，自己的生活不像自

己所夢想的，沒有機會去世界各地旅行並發財致富。他並沒有選擇離家冒險，反而選擇了對家族忠誠、盡義務。最後他結了婚，開始成立家庭，並且服務生活周遭的人。

一個聖誕節的前一天，災難臨頭，他粗心的叔叔把八千塊不知放到哪裏去了。喬吉遍尋各處，他知道如果找不到錢，家族的生意就會垮了。他向一個年老、奸詐、殘忍的競爭對手尋求幫助，可是那人幸災樂禍地拒絕了，認為把白喬吉的生意扳倒的機會來了。當他知道白喬吉有個數目不大的人壽保險，他輕浮地說：「你死了比活著值錢。」

白喬吉頹然漫步到一家酒吧，他不知道該怎麼辦。撫摸著大衣口袋裏面塞著的壽險單，他想著要自殺。然後，大聲喝下另一口酒後，他試著禱告。「神啊神，」他低聲喃喃地說，近乎語帶抱歉。「親愛的天父，我不是個常禱告的人，可是如果你在天上，也聽到我的禱告，請指引我前面的道路。我一籌莫展了，指引我前面的道路，神啊。」

這也是心靈的呼求，是因迫切而作的禱告。

聖經提醒我們：迫切的人禱告是因為他們別無選擇。他們禱告是因為挨餓；他們禱告是因為面對壓迫；他們禱告是因為軍隊正要踐踏他們的村莊；他們禱告是因為希望家人不會離散。情況是：如果不禱告，就倒下；如果不禱告，就絕望；如果不禱告，就死亡。

新約聖經中充滿這種禱告。睚魯是個有名望和影響力的人，他禱告是因為女兒生的病無藥可救，再多的財富或權力都救不了她（馬可福音五 21～24）。有個婦人患了無法

控制月經週期的病，她禱告是因為當時存在的所有醫術都治不好她的病（馬可福音五 25～34）。與耶穌同釘十字架的盜賊禱告是因為他知道自己快死了，沒有法律的赦免、暫停行刑或奇蹟，能讓他延緩面對自己即將永久停留的地方（路加福音二十三 39～43）。

這些人都不知道如何作複雜的禱告，他們都不覺得自己配、或能禱告，他們只是因著迫切而禱告。

學來的迫切

我在出車禍之前就為我的家人禱告，雖然我不確定自己是否因迫切而禱告，可是我現在是如此，而且總是因感到迫切而禱告。我可能會在很多事上自滿地禱告，可是不會為我的子女如此禱告。我非常知道自己不是個稱職的父親，也知道自己孩子經歷的創痛會有長期的影響，我發現自己向神呼求，神就好像是我唯一的希望、我最後的倚靠、我僅有的機會，使我能看見善勝過惡。我知道世事是如何短暫，人際關係是如何脆弱，我能控制的又是如何稀少。

每當我看見孩子駕著家中一輛車離開，我就顫抖，因為我知道自己可能再也見不到他們，至少在今生可能如此。當他們長大要離開家了，我擔心，因為我知道他們即將面對我無法保護他們的逆境、苦難和誘惑。所以，我因迫切而為他們禱告。身為單親父親，我知道自己多麼需要神。

　　但是我並不是在任何時間、在任何情況下皆如此，我不是，我們所有人都不是。我們可能知道自己需要神，可是我們不總是這麼覺得，那麼我們怎麼辦？

　　我二十八歲的時候，得了一種罕見的疾病，叫洛磯山斑疹熱（Rocky Mountain Spotted Fever），醫生無法診斷出我身體哪裏有毛病。等到他們診斷出來時，我已經病得奄奄一息。我在加護病房待了八天，醫護人員無法讓我的體溫降低到華氏一百零五度以下，我的肝和腎都失去功能，心臟停了兩次，還有嚴重的兩側肺炎。我命在旦夕。

　　我還記得要吸進足夠的空氣，自己所感到的迫切。我會吸進一小口，可是我的肺還要更多。最後我痊癒了，又能開始正常呼吸。諷刺的是我現在需要的空氣不比之前生病時少，只是當時我比較明白空氣的重要性，那時我像個溺水的人，迫切需要空氣。

　　我的需要神也是如此。不論我是否覺得，我需要神就像我需要空氣、水和食物。沒有神，我就死了。

　　我裏面法利賽人的聲音會否認這樣的說法，他是用人的標準來評量我的生命——我有多智慧、聰明、富有、道德或虔誠，至少是與其他人相比，不是和神比較。當我這麼想的時候，我通常都能超過別人。我裏面的法利賽人試圖壓制稅吏的聲音，可是在我裏面的稅吏聲音才是真實並正確的，他告訴我自己是無窮盡地需要神，也絕對需要神，他還告訴我不僅要把禱告當作一個虔敬的功課，也要把禱告當作純然迫切的表達。他說：「你如果不禱告，就活不

下去。」

所以，即使當我不想禱告的時候，我還是禱告。我為學生的成長禱告，我為世界各地神子民的福祉和安全禱告，我為病人得醫治、關係得恢復、遠方或近處不認識基督的人得到信仰、世界有正義而禱告，我在掙扎、暴動、和不確定中為神的同在禱告，我為自己在迷惑時能得著智慧禱告。這些禱告內容並是不隨便的，雖然我常輕鬆地禱告，好像在飛機上彬彬有禮地和陌生人閒聊，以便打發時間。如果我花點時間多想一想，我會明白這些禱告是重大的祈求，碰觸了嚴肅的問題。對於我最在乎的事，我會像個新生兒般急切需要，我們都是如此。

危險還是安全？

我們在生活中享受到的安全和豐盛，使我們看不見自己真正和根本的需要，不過，我不確定生活的安康豐足最終會有多大關係，這幾乎是無關緊要的──因為兩個理由。首先，生命不只是要活得舒適和安全。有時候，我們所感到的滿足遠少於神要我們得到的，我們不明白如果我們真地尋求神，生命將會如何不同。我們拉上窗簾，正如巴斯卡（Blaise Pascal）曾經寫到的：「我們太容易滿足。」我們認為健康良好、物質富足、並且有好友為伴就足夠了。

可是神有不同──也更好──的計劃。一旦我們瞭解神為我們作的計劃，我們就會禱告。我們會為自己屬靈生命

的復甦禱告，我們會祈求枯骨之谷的骸骨都能復活，我們會祈求神讓我們變成祂一直希望我們能夠成為的那種人。

但是，還有第二個理由，說明為甚麼我們個人的富裕昌盛是無關緊要的。即使我們不覺得迫切，可是世界是迫切的。2000 年的夏天，我和孩子們前往肯亞的奈洛比，我們在那裏住了兩個月。我在一所大學教書，他們在德蕾莎修女（Mother Teresa）創辦的孤兒院當志工。那所孤兒院位於有二十五萬人居住的大型貧民區，是痛苦沙漠中的一塊愛的綠洲。我的孩子照顧那些住在那裏的孩子，那些孩子都是被遺棄和有身心殘障的。他們遇見一位孤兒，已經二十多歲，從任何人有記憶開始，她就住在那裏。她不能走或坐，不能自己穿衣服或吃飯。她整天躺在蓆子上，孤兒院的修女很尊敬地對待她，也給了她許多愛。

突然間，世界上的需要不再只是統計數字，這許多需要直視我們，有名字、故事，是真實的人，就像我們一樣。他們的世界和我們的世界鴻溝縮小了，至少我們在那裏的短時間中是如此。不過，其實不必去肯亞一趟。「城市之門」只有幾哩的距離，需要的鄰居就住在對街，寂寞的孩子上我們的學校，不快樂的家庭祈求我們的注意，迫切的呼求在遍地回響，有需要就有服事的機會——如果我們願意讓自己暴露在需要中。

九月十一日紐約世貿中心恐怖攻擊發生之後，著名的作家和牧師麥高登（Gordon MacDonald）在災區和許多其他人一起工作了幾天，他在那裏深刻的經歷和自己的預期很

不相同。他的服事很實際——爲水桶小隊提水，並且尋找工人需要的物品。他也爲人禱告，數以百計的人排隊接受靈性上的鼓勵，好像飢餓的人在公益廚房排隊。人們亟需禱告，這一點使他驚訝，他們在尋找神。

奇怪的，是麥高登——在那裏爲別人禱告的人——懷疑神是否同在。神怎麼會在那群受創痛、受驚嚇，在瓦礫中耙梳搜尋生還者的人中間呢？死亡四處可見，熱氣、氣味、灰塵和毀滅幾乎令人無法忍受。那是神遺棄的地方，和任何神聖的事物相去甚遠，好似地獄和天堂相隔遙遠。

但是麥高登經歷到神的同在。「我認定神比我去過的任何地方都更靠近這個地方。……從來沒有教會的事奉、教會的聖殿、宗教鼓舞的服事，能像昨天晚上在撞擊現場的幾個小時那樣，非常深刻地向我的靈訴說，也見證了神的同在。」

可是在那慘遭破壞的現場，他不僅經歷了神的同在，也經歷了活力、力量、信仰的更新。「在我所有從事基督教牧養工作的年歲裏，我從來沒有像昨天晚上那樣充滿活力。……多年來，雖然我很喜愛傳講聖經、和作其他所有我很榮幸能作的事，但是站在街上、給工人遞送冷水、和他們一起禱告和哭泣、聽他們的故事，是讓我覺得最親近神的時候。即使聽起來像連續劇裏的臺詞，我不斷聽見自己在說：『這裏是耶穌最想來的地方。』」

諷刺的是，迫切本身——眞實禱告的精神——會使不蒙垂聽的禱告變得可怕、令人痛苦，也使人感到幻滅。沒有

甚麼經驗比迫切的禱告不蒙垂聽更令人痛苦。在無底深淵上方緊抓著繩索的末端已經非常不好受，有人還切斷繩索，更是令人難過，可是如果是神切斷繩索，那就是最壞的情況，我們會認為神應該更有憐憫心才對。

迫切會讓我們重重跌倒。當我們的需要驅使我們尋求神，可是神不回應我們的需要時，我們還有甚麼其他選擇呢？這就像父母背棄子女，只是更糟，因為神應該都知道，也能作得更好才是。我們很難理解，也很難接受這樣的結果。我們像稅吏般禱告：「神啊，開恩可憐我這個罪人！」我們覺得迷失、有急切的需要，猶如在沙漠中獨自徬徨流浪的人。我們從心中最深處向神說話：

- 「神，對於這個工作上的問題，我需要智慧。」
- 「現在媽死了，我要經歷你的同在。」
- 「我求你醫治我的兒子。」
- 「請保守莎蘭和秉良，他們剛在波利維亞（Bolivia）被人綁架。」
- 「把爸從酒癮中拯救出來。」
- 「親愛的神，我要知道你會保守我，一切都會獲得解決。」

當這些禱告沒有照我們所求、所希望、所需要的獲得回應，我們甚至懷疑神是否聽我們說、或關心我們。我們覺得被背叛，也覺得被完全背棄。

迫切可能是真實禱告的精神，可是迫切也造成折磨和懼怕，使我們覺得靈性裸露，完全曝光，有如甲蟲腹部朝上，只等著小孩無可避免地用力一踩。迫切迫使我們作應該作的禱告，迫切也使我們對於禱告不蒙垂聽的失望非常敏感脆弱，那麼我們該怎麼辦呢？

Questions
for
Discussion

1. 你覺得自己比較認同法利賽人還是稅
   吏？為甚麼？

2. 因迫切而禱告是甚麼意思？

3. 你甚麼時候曾經因迫切而禱告？發
   生了甚麼事？

堅持一生的禱告

第 **3** 章

神能接受
　我們的抱怨嗎？

Can God Take Our
Complaints?

最好的禱告經常是呻吟多過言詞。

——班揚
(John Bunyan)

王彬是個單親父親，他盡力養育已是青少年的女兒凱蘿，即使是在最好的情況下，養育青少年也是個充滿挑戰的工作，可是王彬並不是在最好的情況下養育他的孩子，因為凱蘿患有白血病。

王彬努力讓凱蘿不放棄痊癒的希望，他也努力讓自己不放棄，但他質問神怎麼會允許這樣的事發生在他女兒身上。因為凱蘿的生命正在危險關頭，他離開醫院，漫步走進一座教堂。懷著全然的迫切，他在半信半疑中禱告。

他對神說：「我不求把她留給我，可是，求你把她的生命留給她自己。或者給我們一年，我們會過得像我們只有這最後一年，甚麼都不錯過。」他向神描述自己會怎麼努力過那一年，會緊緊抓住生命就像抓住他自己的最後一口氣。他保證自己會作個好父親，會照顧他心愛的女兒。「奉基督的名，我們這麼祈求，也祈求赦免我們的罪。阿們。」[1]

王彬回到醫院，發現凱蘿病情減輕，他非常高興、感激，相信神回答了他的禱告，可是一天不到，凱蘿卻因感染了肆虐醫院的傳染病而過世，他覺得神戲弄、嘲笑了他，假裝回應他的禱告，但是最後還是殺了女兒。他凝視凱蘿僵硬的身體，對突然而殘忍的死亡感到震驚。「她最後看起來像被壓壞的花朵，或者像被暴風雨擊打墜地的小鳥，我知道，在床單下面的她看起來像被亂棒打死。」[2]

---

[1]　Peter De Vries, *The Blood of the Lamb* (Boston: Little, Brown & Company, 1961), 229。

[2]　Peter De Vries, *The Blood of the Lamb*, 236。

他覺得實在難以忍受，努力回到那個教堂，發現自己意外留在那裏的蛋糕，本來是要帶去給凱蘿和醫院的醫護人員，用來慶祝凱蘿的病情改善。離開教堂時，他注意到一個耶穌釘死在十字架上的像掛在門口正中央，在悲痛和憤怒中，他舉起蛋糕，一手平穩地拿好，把蛋糕投擲在十字架上。他瞄得很準，蛋糕正打在耶穌的臉上。王彬跌坐在臺階上，無法動彈。他疲憊不堪，這麼努力地苦撐，這麼無助地禱告，這麼愚蠢地期盼，禱告還是沒有得到回應。

我從來沒有像虛構的人物王彬，在德弗里斯（Peter De Vries）悲苦的小說《羔羊的血》（*The Blood of the Lamb*）裏那樣，向耶穌扔蛋糕，可是我曾經想這麼作，因爲我有同樣的感覺、同樣的痛、同樣的憤怒。像王彬一般，我也覺得神背棄了我。有這樣的感覺是錯誤的嗎？把這樣的感覺向神渲洩是錯誤的嗎？

感覺──原始而符合人性

身爲人類，我們有感覺是很自然的，正如同我們的鼻子會聞到氣味、我們的耳朵會聽到聲音。感覺表達了心裏的感受，是一種反射能力，是靈魂的神經系統，是我們經歷周遭世界時的自然反應。當某人善待我們，我們覺得感激；當好事發生，我們感到喜悅。同樣的，當某人背叛我們，我們覺得生氣；朋友死了，我們覺得悲傷；悲劇突然降臨，我們會恐懼、顫抖。我們不由自主就會有這些感覺，

如果我們不再感覺，我們就不再活著。

　　想要控制我們的感覺也很自然，尤其是負面的感覺。畢竟，誰要整天浪費生命去發洩感覺和情緒？這麼作太累了，也很傷人。可是，雖然我們想要控制感覺，感覺卻能躲避控制，並且躲藏在暗地，等著跳出來，有時候就在我們最沒有想到的時候。一件小事就能觸發我們，像緊張婚姻中的小爭吵，立刻就能引爆成大爆炸。

　　我最小的孩子強明在車禍中嚴重受傷，他躺在牽引器中三個星期，接下來九個星期全身上滿了石膏。當時他兩歲，還不會自己上廁所，所以我們必須把尿布塞進石膏裏的一個小洞，這並不是個很好的方法。然後，他得了流行性感冒，體溫急遽升高，出現嚴重的抽筋、嘔吐、腹瀉和脫水現象。他的重病讓我再也無法忍受，就像寓言中的那根壓斷了駱駝背的稻草。

　　我非常痛苦、生氣、困惑，以至於哭得一發不可收拾，對於自己的際遇憤怒不已。我覺得發生意外已經夠糟了，強明的傷勢使情況更糟，而現在還感染到感冒！我覺得自己的生活不斷下墜，非要撞毀不可。這一切怎麼可能發生？神怎麼會讓這一切發生？神是不是有甚麼虐待狂，竟會袖手旁觀我們家的苦難？

傷害無辜的人

　　所以，問題真正的癥結不在於我們是否有感覺，而是

在於我們應該怎麼處理感覺。有幾種不好的選擇。

首先，我們可以嘗試壓抑感覺，這麼作只是把軟木塞塞進一個遲早要爆炸的瓶子裏。有位丈夫壓抑自己對妻子花錢習慣逐漸增加的憤怒，然後當她帶回一雙新手套，他表達的憤怒和手套的價值不成正比。或者一位母親壓抑自己對於女兒拙劣成績的失望，然後當女兒的生物小考考了個丙，她訓斥了許久，並且要女兒一個月不准作任何課餘活動。

壓抑也許有效，可是只是短暫的，最後感覺總會衝破壓抑，發作出來。有時候就在我們最無預期的時候，就像受到逼迫的家畜會反擊，因為野性尚存。

其次，我們可以向無辜的旁觀者發洩，用錯誤的方法、在錯誤的時間、向錯誤的對象表達自己的感覺，正如青少年因為討厭自己的肥胖而欺負妹妹，或者教練因為厭惡輸球而懲罰球隊。這種未加導正的敵意只會使人更加痛苦，這就像有百姓在戰爭中傷亡。必須打死敵人已經夠糟了，造成無辜者傷亡，不管是意外或者有意，豈不更糟？一定要這麼作嗎？

其三，我們可以把感覺內轉，進而懲罰自己，認為——很正確地——我們應當為自己犯的錯負責。慚愧是真實而健康的感覺，會使我們悔罪和負起責任，可是慚愧的感覺可能放大得不健康、不正常，導致沮喪憂鬱（只是許多結果之一）。憂鬱經常是由內轉的憤怒所造成的，會扼殺所有的喜悅、和平及寬恕。

多年前我們家的一位朋友下班後開車回家，撞到一個騎腳踏車的小男孩。那個小孩衝過停著的兩輛車之間，直接衝到我們朋友開著的車道，我們的朋友無從閃避，這個車禍是個意外，很可悲，卻無法避免。但是這個事實無法使我們的朋友釋懷，他深感懊悔、罪惡和沮喪，時間也不能減輕他的感覺，直到死的那天他都自己懲罰自己。

攻擊神

有個更好的方法，我們可以向天發洩情緒，那麼吐出的穢物——苦毒、仇恨、報復和絕望——都不會碰觸其他人。攻擊神神好像大膽狂妄、毫不虔敬，猶如褻瀆十字架般不適當，然而聖經邀請我們這麼作。整卷詩篇一百五十篇提供了我們一個模範，教導我們怎麼表達感覺，不只是正面的如高興和感謝的感覺，也包括負面如生氣和絕望的感覺。

詩篇提醒我們不需要在「適當的情況下」才能禱告，不管我們當下的情況有多糟，那就是適當的情況。事實上，任何禱告都比完全不禱告好。雖然表示對神的尊敬是正確的，我們也可以表示生氣和絕望，至少證明我們是認真相信神的，才會與祂溝通。

加爾文是十六世紀宗教改革的領袖，也是禁慾主義者（如果真有禁慾主義者），正因為這個原因而喜愛詩篇。他在他的《詩篇註釋》的序言中寫道：

「我慣於把這卷書稱為（我想不會不合適）『靈魂各組
成部份的解剖』，因為任何人能夠感知的感覺都在書中呈現
出來，像在鏡子裏似的，或者我們可以說聖靈在書中具體
呈現了一切傷痛、哀愁、恐懼、懷疑、希望、憂慮、困惑。
總之，就是人心經常會被激起的所有令人感到混亂的感
覺。」[3]

　　詩篇把負面的感覺寫下來，書中有一半是抱怨，通常
是向神抱怨。詩篇作者並不怕和神爭論、向神呼求、在神
面前哭泣，甚至為不幸和苦難責怪神。不論他們多麼重視
神，希伯來人相信神是非常偉大和仁慈的，所以能夠接納
這種無修飾而莽撞的感覺，神也是堅強的，所以能夠承受
我們向祂傾倒的敵意。詩篇教導我們：當我們接近神，必
須說真話——有關我們自己、我們的情況，尤其是有關我們
的感覺。神似乎不會被激怒，祂其實歡迎這樣的表達，希
望我們把感覺化作禱告，不管是多麼不好的感覺。聽聽下
面的哭求：

　　　　耶和華啊，我的敵人何其加增！
　　　　　有許多人起來攻擊我；
　　　　　有許多人議論我說：

---

[3]　John Dillenberger, *John Calvin: Selections from His Writings* (Ann Arbor: Scholars Press, 1971), 23。

「他得不著神的幫助。」

——詩篇三1～2

我因唉哼而困乏，

　　我每夜流淚，

　　把床榻漂起，

　　把褥子濕透。

我因憂愁眼睛乾癟，

　　又因我一切的敵人眼睛昏花。

——詩篇六6～7

耶和華啊，你為甚麼站在遠處？

　　在患難的時候，為甚麼隱藏？

——詩篇十1

耶和華萬軍之神啊，

　　你向你百姓的禱告發怒，要到幾時呢？

你以眼淚當食物給他們吃，

　　又多量出眼淚給他們喝。

——詩篇八十4～5

　　我們的感覺會傷害神嗎？當然會，但是即使我們向祂發怒，神還是能接納我們的感覺並且愛我們。神像個好父母，當小孩沒有作完該作的工作，被媽媽抱上床早點睡覺，

而不高興地向媽媽大叫：「我討厭你，我討厭你，我討厭你，」媽媽並不會因此感到不悅。神允許我們向祂吐露心聲，並把一切苦毒除去，使我們的憤恨能在祂的愛中稀釋消解，不論我們有多麼憤恨。

意外發生後，我發現向神發洩情緒，能帶給自己許多釋放和釋懷。小問題——像強明的生病——經常發生，並打亂我們家脆弱的平靜。我會盡量維持安定，直到孩子都上床睡覺，然後我會俯首在地，向神哭求，向祂抱怨自己的痛苦和不幸。我用一些艱難的問題逼問祂：「你為甚麼允許這件事發生？」無論正確與否，我質問祂的正義，說他欺負人、很殘忍。現在當我回想這一切，瞭解到如此無禮地責問神恐怕是錯誤的，但是我當時非常痛心、生氣和困惑，感覺強烈得必須加以某種處理，我決定向神傾倒。「我絕不會像你對待我這樣對待任何人，」我在淚水湧流中勉強說出。「去跟和你一樣強大的人鬥，不要跟我鬥，我不要跟你鬥。」

詩篇提供了我抱怨所需要的語言，也就邀請了我向神噴吐責難。詩篇中的語言充滿力量，不像我們今天臨床治療所使用的語言。我發現聖經的語言更近似我自己的經驗。臨床治療時我們用像「憂鬱」之類的字，可是詩篇用的字是「坑洞」和「黑暗」。我們說「損失」，可是詩篇談到的是走過「死蔭的幽谷」。沒有任何臨床治療的語言像詩篇二十二篇一般，發自內心深處，又充滿力量：「我如水被倒出來；我的骨頭都脫了節；我心在我裏面如蠟熔化……

我的舌頭貼在我牙床上」（詩篇二十二篇 14～15）。如果我們要用能表達人類情感的語言，必須使用詩、隱喻和類比，不能使用臨床治療的描述。詩篇讓我們擁有這種語言。

用感覺禱告

詩篇邀請我們向神抒發我們的感覺，把感覺變成禱告，最後我們的感覺才能加深我們和神的關係。我們誠實地禱告，似乎和我們正確地禱告一樣重要。無論是表達讚美或憤怒，禱告至少能作到一件事──促使我們靠近神。正如我對準備結婚的年輕伴侶們所說的，有件事比吵架更糟，那就是完全不溝通。吵到得到一個結果總比完全放棄好。詩篇鼓勵我們吵──和神吵。

> 詩篇邀請我們向神抒發我們的感覺，把感覺變成禱告，最後我們的感覺才能加深我們和神的關係。

神歡迎誠實，因為他是真理的神。神呼召我們要根據真理過活，他要我們不計代價活在真理中、說真話、追尋真理。另外，神也鄙視虛偽。虛偽的人給人的外表印象完全和內心深處不同，他們面對上司時對上司很好，可是背地裏嘲笑上司，在公眾場合表現得很快樂，在家卻經常暴跳如雷，而且說的是一回事，作的卻是另一回事。虛偽的

人在星期日早上表演宗教儀式，可是其他時候都忽視神。

　　神無法幫助虛偽的人，除非他們願意承認自己真實的光景。不論表明真相有多麼令人不舒服，他們還是必須這麼作。他們必須誠實面對自己的處境、誠實面對自己、誠實面對神，即使誠實使他們坐立不安。如果自我不願意先說真話，怎麼可能有所改變呢？

　　約翰‧屈梭多模（John Chrysostom）勸告我們：真正的禱告所表達的應該是來自人類心靈的深處。如果有任何人瞭解苦難，那當然非約翰‧屈梭多模莫屬。當他在第四世紀末於安提阿（Antioch，古時敘利亞首都）作牧師時，他被呼召每天向一群受創的群眾講道，其中一些人因羅馬皇帝要報復城裏爆發的暴動，而被處死。多年以後，他任職君士坦丁堡的大主教時，皇后把他從文明世界中驅逐出境，因為他批評皇后不道德的生活方式，這導致他的死亡。

　　然而，他從來沒有停止禱告。當他面對許多災難並禱告，他告訴神自己的真實光景。「我說的是發自心底的禱告。……如果你和主人分享你靈魂裏感受的痛苦，比較能確保你會獲得許多保證和安慰。」[4]

---

[4]　John Chrysostom, *On the Uncomprehensible Nature of God* (The Fathers of the Church, vol. 72; Washington: Catholic Univ. Press, 1982), 162。

連耶穌也抱怨！

耶穌自己就是我們的榜樣，祂也誠實面對神，並表達自己的感覺。和門徒吃過飯後，耶穌帶他們到客西馬尼，祂在那裏向祂在天上的父痛苦地禱告，要求苦難的杯能離開祂。馬太說耶穌「憂愁起來，極其難過」，祂禱告時是「俯伏在地」。路加更說到祂的「汗珠如大血點滴在地上」（馬太福音二十六 36～46；馬可福音十四 32～42；路加福音二十二 39～46）。

幾個小時之後，耶穌就被處死了。祂掛在十字架上，好像怪物展覽表演的展覽物之一，被群眾譏笑，也被朋友全然棄絕。在那段為時大概六個小時的痛苦中，福音書中只記載了耶穌說的七句話，其中之一直接引用詩篇二十二章。耶穌用詩來表達自己的恐懼、困惑和痛苦，祂要求天父說明。「我的神，我的神！為甚麼離棄我？」（詩篇二十二 1）。詩篇二十二篇是許多抱怨詩篇中的一篇，篇中回響著悲痛的絕望，因為詩篇的作者覺得神好像離棄了他。如果耶穌有足夠的氣息和體力，祂可能會背誦整首詩，因為該詩描述了祂面對的嚴峻苦難。

我的神，我的神！
　　為甚麼離棄我？
　　為甚麼遠離不救我，
　　　　不聽我唉哼的言語？

我的神啊，我白日呼求，你不應允；

　　夜間呼求，並不住聲。

但我是蟲，不是人，

　　被眾人羞辱，

　　被百姓藐視。

凡看見我的都嗤笑我，

　　他們撇嘴搖頭……

犬類圍著我，

　　惡黨環繞我；

他們扎了我的手、我的腳。

　　我的骨頭，我都能數過；

　　他們瞪著眼看我。

——詩篇二十二 1～2、6～7、16～17

這看起來也許令人震驚，但耶穌並沒有遲疑，祂在天父面前表達了自己的痛苦和孤獨，然而藉著引用這首詩，祂把自己的感覺化作禱告，祂的感覺使祂靠近神。

　　究竟有甚麼感覺並不重要，詩篇述說了各種各樣的感覺。也許是困惑，因為神似乎遙遠而沉默，詩人呼求神的拯救，但神沒有任何作為，像一個被動的旁觀者目睹了搶劫事件，卻轉身不顧。

　　耶和華啊，我呼求你！

　　我早晨的禱告要達到你面前。

耶和華啊，你為何丟棄我？

為何掩面不顧我？

——詩篇八十八 13～14

也許是苦毒，因為神允許敵人把快樂建築在詩人的痛苦上（詩篇七十三，一○九篇），並且甚至允許朋友背叛自己（詩篇五十五篇）。也許是報復，因為詩人想反擊那些傷害他的人（詩篇一三七篇）。也許是絕望，因為詩人面對神明顯的漠然，不知道應該怎麼作（詩篇七十七 1～10）。

要求神說明！

把這些感覺都帶到神面前，向祂攤開，猶如神自己犯了錯。許多詩篇的作者示範了極大膽的禱告，因為他們向神發出自己的抱怨。他們好像無神論者的不信，好像魔鬼的無禮。詩篇控訴了神的錯誤，要神對苦難和悲痛負責。如果要怪任何人，就要怪神，祂似乎必須為世界上發生的許多苦難、死亡和破壞負責。回顧 1350 年代的後期，黑死病猖獗肆虐，使歐洲三分之一的人死亡，康妮‧葳莉絲（Connie Willis）在她的小說《末日審判書》（*Doomsday Book*）中寫到：「是神應該尋求原諒。」[5]

令人驚奇的是，神似乎用憐憫和慈愛來看待那些控告

---

[5]　Connie Willis, *Doomsday Book* (New York: Bantam, 1992), 410。

祂、向祂大喊大叫的人。例如約伯覺得自己遭受的損失非常不公平，他便毫不遲疑地向神揮舞拳頭，但神還是呼叫約伯，向他說明一切指控。約伯花了一整個晚上和神爭辯，即使神使他無法言語，他還是拒絕停止。耶利米似乎對每件事都抱怨，從他所必須忍受的苦難來看，他這麼作是很有理由的。拿俄米把自己的名字改為瑪拉，而瑪拉的意思是「痛苦」，因為她相信神棄絕了她，要讓她一輩子受苦、遭受不幸。神所不能忍受的是柔順的聖人、彬彬有禮的信徒，那種擅於扮演自己的角色，卻從來沒有進入角色靈魂深處的人。神喜歡和那些會跟祂爭吵的人同工。

安雷夫（Leif Enger）的《平安如江河》（*Peace Like a River*）述說四個不尋常家人的故事：父親傑明和他的三個孩子達威、思德和敘述故事的儒本。達威闖了大禍，被捕並被審訊。當他知道陪審團即將判定他有罪，他從縣裏的監獄逃出，幾個星期後家人都擠進一輛可供居住的拖車裏，出發去尋找他。

傑明是個常禱告的人，他謙遜、明辨是非，也順服，可是他到達一種不瞭解神究竟想作甚麼的地步。他覺得神要他和追捕達威的聯邦探員合作，他認為這麼作太荒謬，他討厭這麼作，覺得是種侮辱和背叛，所以他決定面對那萬能的主，一整個晚上沒睡覺，在禱告中和神爭論。

儒本複述了朋友若娜後來告訴他的事，若娜坐在走道聽到那場爭論。她當然只聽見傑明那一邊的說話，她並不能聽見神的聲音，但是她知道神在說話，也在回辯。

聽到這裏若娜捂住她的口，因為她瞭解到他是在和誰爭辯。很久以前若娜就接受了神，從來沒有想過要和祂為某個問題當面對話。爸爸呼求：「如果你能，讓我願意這麼作，」我想到這個挑戰仍然覺得震撼。若娜接著聽見一個翻跌的聲音，像有人被摔倒。

神和傑明的對抗就持續了一整夜。若娜最後在走道睡著了。當她早上醒來，一切都寂靜無聲。她走進廚房，發現傑明坐在飯桌旁。他很平靜，和神爭鬥了一晚，直到得到一個答案，並且有一個明確的方向。這個禱告的人並不遲疑於和神面對面，雖然他當然也因此明白人不能在和萬能的主爭辯時獲勝。[6]

有時候似乎和神爭辯是很有理由的，神不總是表現得像神應該有的表現。基督徒認為神是超越一切、神聖而聖潔且大有能力的，神將宇宙拿在手中，根據自己完美的心意引導歷史，並統管人類的事務。祂掌管一切！如果有人受到苦難，這似乎最終是神的作為。如果神要幫助，祂可以作到，如果沒有任何幫助，那是因為神選擇不作任何事。

所以詩篇的作者很正確地控告神，向神發脾氣，也責問神。

堅持一生的禱告

6　Leif Enger, *Peace Like a River* (New Yrok: Grove Press, 2001), 217-18。

耶和華啊，你為甚麼站在遠處？

　　在患難的時候，為甚麼隱藏？

　　　　　　　　　　　——詩篇十 1

耶和華啊，你忘記我要到幾時呢？

　　要到永遠嗎？

　　你掩面不顧我要到幾時呢？

我心裡籌算，終日愁苦要到幾時呢？

　　我的仇敵升高壓制我要到幾時呢？

　　　　　　　　　　　——詩篇十三 1～2

耶和華啊，求你不要在怒中責備我，

　　不要在烈怒中懲罰我。

因為你的箭射入我身，

　　你的手壓住我。

　　　　　　　　　　　——詩篇三十八 1～2

　　魏索（Elie Wiesel）是第二次世界大戰大屠殺的生還者，也是許多有關苦難的著作的作者，其經典作品包括《暗夜》（Night）。他重述在大戰期間於德國死亡集中營的一次審判。那次審判非常奇怪，原因在於被告的身分，猶太教的教士們審訊的是神。在三天中，他們向一個陪審團提出證據，證人述說自己受難的故事，他們說明自己怎麼向神禱告，可是神完全沒有回應他們的禱告，沒有從痛苦中拯救他們，也沒有為他們正當的理由保衛他們。陪審團判定

神有罪。審訊結束後，教士們向那同一位他們剛定了罪的神禱告。魏索親眼目睹這場審訊，他在當時當場就決定：如果自己能從嚴峻苦難中生存下來，他要把這個故事告訴大家。

可是他決定也要說到故事中的另一個角色，那就是辯護律師。辯護律師是為神的無罪提出證據和論點，他會說神雖然關心猶太人，可是祂在這件事上無能為力，或者雖然神有能力作些事，可是祂選擇讓事情自由發展。

> 詩篇裏描寫的神偉大得足以吸納我們的指控，並對世界的苦難負全責。詩篇把神放在問題的核心，不蒙垂聽的禱告是神的問題。

魏索相信那名辯護律師會是魔鬼，因為只有魔鬼才會想到用減縮神的主權或神的至善，來為神辯護。不像詩篇作者的責怪神，魔鬼希望把神說成是軟弱或無能的，也就不值得受到大家的看重。

詩篇中沒有這樣的神，詩篇裏描寫的神偉大得足以吸納我們的指控，並對世界的苦難負全責。詩篇把神放在問題的核心，不蒙垂聽的禱告是神的問題。神是至善、統管一切、充滿智慧的，他掌管宇宙的進行。祂至高無上的主權和仁慈的意志會勝過一切，尤其當我們向祂呼求時。如果出了差錯，要責怪神，詩篇的詩人是這麼認為。

堅持一生的禱告

決心和勝利

　　但是詩篇並不就如此消極地結束，和神爭辯的行為帶來決心，奮鬥之後是平和，指控會轉為順服。高聲叫罵最後停止，平靜回到詩篇作者的靈魂裏。寫「耶和華啊，你為甚麼站在遠處？」的作者用下面的詩句結束他的詩：

> 耶和華啊，謙卑人的心願，你早已知道；
> 　　你必預備他們的心，也必側耳聽他們的祈求，
> 為要給孤兒和受欺壓的人伸冤，
> 　　使強橫的人不再威嚇他們。

　　　　　　　　　　　　——詩篇十 17～18

　　如此的決心令人震驚和深受感動，但無法和詩篇第二十二篇的作者的見證相比擬。那篇詩正是耶穌垂死在十字架上時口中禱念的詩，既表達了絕望與希望，也表達了憤怒和信心。痛苦的呼求以信心的宣告作結，悲痛帶來決心。如果不曾有過奮鬥，就不會有平安，詩篇的作者必須兩者都經歷。

　　他以指控開始。「我的神，我的神！為甚麼離棄我？」他為自己感受到的悲痛和苦惱責備神，像個孩子總算找到機會反擊虐待他的父母。他覺得自己被完全遺棄，痛苦大得難以忍受。

　　然而，最後他向自己控訴的同一位神宣告自己的信

心，他向讓自己活得如此悲哀的同一位神祈求拯救。不論如何憤怒，他知道除了神以外，別無幫助和希望。

> 耶和華啊，求你不要遠離我！
> 　我的救主啊，求你快來幫助我！
> 求你救我的靈魂脫離刀劍，
> 　救我的生命脫離犬類，
> 　救我脫離獅子的口：
> 你已經應允我，
> 　使我脫離野牛的角。

—— 詩篇二十二 19～21

詩篇的作者雖然沒有明確的理由，但是相信神會聽見他的禱告並拯救他，神會作到，因為神是信實而良善的。他似乎欣喜若狂，確信雖然自己境遇悲慘，但神仍然掌管一切：

> 我要將你的名傳與我的弟兄，
> 　在會中我要讚美你。
> 你們敬畏耶和華的人要讚美祂！
> 　雅各的後裔都要榮耀祂！
> 　以色列的後裔都要懼怕祂！

地的四極都要想念耶和華，並且歸順祂：

列國的萬族都要在你面前敬拜。

因為國權是耶和華的；

祂是管理萬國的。

────　詩篇二十二 22～23、27～28

詩篇讓我們以神爲地基。每個家庭都需要一條接地線，才能在雷雨交加時獲得安全。不論閃電是多麼驚人，如果家裏有這樣一條線，閃電不會造成任何損害，因爲這條線會把電荷直接傳到地面，電流就不會造成危害。詩篇就像爲防範情緒上出現閃電而準備的接地線。

> 詩篇邀請我們抱怨、計劃復仇、指控神，完全只用禱告這個方法──聽起來很驚人。

詩篇邀請我們抱怨、計劃復仇、指控神，完全只用禱告這個方法──聽起來很驚人。詩篇認爲神強大、有力、仁慈得足以吸納這些感覺，使這些感覺不會造成破壞。諷刺的是：不蒙垂聽的禱告引發的灰心沮喪會轉爲禱告，不蒙垂聽的禱告不會讓我們遠離神，反而驅使我們更親近神。這些禱告也許聽起來如毒藥般苦毒，可是仍舊是種禱告。似乎任何禱告，即使是懷著惡意和憤怒的禱告，都比完全不禱告好。無論有多麼無禮，這些禱告仍舊是禱告。

神能接受我們的抱怨，祂甚至歡迎我們的抱怨。祂告

訴我們直接向祂表達失望與憤怒，即使問題似乎出在祂自己所犯的錯誤。

然而，即使如此，還是不能真正解決禱告不蒙垂聽的問題。在我們的禱告不蒙垂聽時，抱怨可以緩和沸騰的情緒，可以讓我們把情緒直接帶到神面前，這麼作是很好，也很有幫助，就像隱藏了自己的情緒多年後，學習怎麼和配偶正面地吵架。可是，一旦情緒過去，我們還是要面對問題。我們該怎麼處理不蒙垂聽的禱告？

討 論 問 題

1. 你能重述曾經讓你產生強烈情緒的經驗
   嗎？你感受到哪些正面和負面的情
   緒？

2. 讀詩篇第二十二篇。詩人怎麼描述自
   己的經驗？他表達了甚麼情緒？他
   後來下了甚麼決心？

3. 向神發洩情緒實際上能如何充實人和神
   的關係？

4. 此刻在你的生命裏，有甚麼情緒你覺得需要
   向神表達？

堅持一生的禱告

第 4 章

禮物——
不蒙垂聽的禱告

The Gift of Unanswered Prayer *

我活得夠長，能感謝神沒有回應我所有的禱告。

——殷潔妮
(Jean Ingelow)

這是每個作母親的人最懼怕的噩夢。

她是小男孩康特的母親。康特只有三歲，因為染患不治之症，瀕臨垂死邊緣。母親相信神，她相信神能治癒自己的小孩。她痛苦地徘徊在希望和絕望、奮鬥和放棄之間，然而她還是禱告：「她用盡靈魂的全部力量來禱告，雖然心底某處害怕神不會移開那座山──祂可能不會按照她的願望行事，而是按照祂自己的旨意。」[1]

她的小孩死了。為甚麼？她自己這麼想。

> 我向神禱告了許久，祂為甚麼還是會讓他死了？為甚麼？我的孩子麻煩了誰嗎？他對誰作了甚麼壞事嗎？難道神不知道他是我全部的生命，我活著不能沒有他？祂怎麼突然奪去並折磨這個無助、無邪的小東西，粉碎了我的生命，用他失去生命的眼睛、冰冷僵硬的身體來回應我所有的禱告。……如果神能作出這樣可怕的事，為甚麼還要向祂禱告？[2]

托爾斯泰（Leo Tolstoy）在題為〈禱告〉（Prayer）的短篇故事中敘述了這個女人的故事，他讀到許多孩童在美國的一個船難事件中死亡，就寫了這個故事，目的是探討禱告不蒙垂聽這個問題。我最近剛讀到這個故事，自己也正

[1] Leo Tolstoy, "Prayer," *Divine and Human* (Grand Rapids: Zondervan, 2000), 40。

[2] Leo Tolstoy, "Prayer," 41。

在思考這個問題。我以前認爲：沒有回應的禱告，如果不是因爲神實行至高無上主權的旨意，好像出了一張王牌，使我們的禱告多半毫無作用，那麼就是因爲人的失敗，使我們的禱告不被神接受，無論我們的需要有多麼迫切。不管是何種原因，結果都一樣——禱告不蒙垂聽。

一個令人震驚的想法

托爾斯泰讓我產生一個新的想法，既令人不安，也很有幫助。我在想：如果我們所有的禱告都得到答應，會發生甚麼事？

我搜索記憶，努力回想自己多年前的一些禱告。我想到自己早年任性的時候，在南加州擔任服事青少年的牧師，當時自己不管有沒有與基督同工，預備征服全世界。雖然我服事的教會健康成長，可是我接手的青少年部很糟糕，我立刻瞭解自己面對巨大的挑戰，正是那種會讓我熱血沸騰的挑戰。我邀集了一些和我同年齡的志工，他們和我一樣粗枝大葉、膽大妄爲。我們廢除了舊的活動，等待了三個月，然後開始了一個新活動，叫「獻身門徒的漁夫聯盟」（Fishermen's Union of Dedicated Disciples）。我們覺得這個新活動就像在杭庭頓海灘（Huntington Beach）衝浪似的吸引人。

我們立即面對反對的意見。有些家長擔憂我們對於小孩的要求，有些小孩不喜歡我們強調向外接觸人群。父母

抱怨，小孩退出。我們大膽熱情地禱告，求神恩待保守我們的事工。經過九個月辛勤而無效的工作，我們在山上舉辦了一個週末的退修會，有四十五個學生參加，對我們而言人數眾多。那是個火花四射的週末，是典型的在山巔辦活動的經驗。大概有二十個學生在那個週末成為基督徒，其他許多人經歷了靈命的更新。那次退修會的動力持續了許久，兩年內高中組從二十個會員成長到一百二十五個會員，成為當地的人都要參加的熱門小組，我站上了成功的浪潮，目睹了許多禱告得到回應，也享受了我工作的成果。我在接觸的每件事上都能點石為金。

最後服事工作平靜下來，也失去了動力。感謝神，因為我變成驕傲得令人難以忍受，自以為是服事青少年方面的專家。我懷疑在那些早期事奉的年歲裏，如果自己所有的禱告都蒙垂聽，如果我們的小組繼續成長，如果我們的活動繼續獲得認可，我會發生甚麼事。也許禱告不蒙垂聽是對我有益的。

在他的短篇故事裏，托爾斯泰說到一個人物瑪麗，她是護士的助理，也是個天使。她對於母親的損失，提出神的觀點。托爾斯泰問道：禱告不蒙垂聽，是不是有可能對我們最為有益？托爾斯泰不把禱告沒有獲得回應視為問題，反而探索是否禱告蒙垂聽才是問題所在。禱告不蒙垂聽可能是一種奇怪的禮物嗎？

我們禱告，這件事本身並不會使我們成為聖人，因為我們的禱告經常沾染了我們的自私。當我們禱告時，我們

不僅像個聖人，也像個罪人，即使當我們因絕望而禱告，我們也常企圖藉禱告來得到我們自己自私的利益，為這樣的理由禱告是非常複雜的。從一方面來看，禱告這個行動提醒我們自己是神的子女。從另一方面來看，禱告這同一個行動暴露了我們沉淪的本質。聽起來可能很奇怪，但是，禱告蒙垂聽實際上可能會惡化我們內在的那個問題——亦即罪——神是藉著耶穌基督來補救我們的罪。禱告蒙垂聽的副作用，猶如一種新藥產生的副作用，比疾病本身更嚴重。

我們充滿驕傲的禱告使神左右為難——如果祂不答應我們的禱告，神顯得不良善而疏遠，如果祂答應我們的禱告，我們最後變得比以前更糟。

　　因此，為了我們的益處，有些禱告是神不願、也不能答應的。答應這種禱告對我們不好，也是神不屑一為的。我們絕對不能忘記，尤其當我們禱告的時候，我們是有罪、會犯錯的受造之物，我們的生命和得救完全倚靠神。當我們禱告時，我們絕對不能忘記神和我們的天壤之別。

　　然而，我們內心有某種東西會使我們忘記，那就是我們的驕傲，驕傲是最壞的死罪，狡猾地隱藏在看來很好的行為背後，甚至隱藏在宗教行為裏。驕傲引誘我們所有人，藉禱告來達到卑劣、不純正的目的。因此，當我們禱告時，即使有真正的需要，我們所圖謀的事物對自己不好，也不

取悅神。諷刺的是，驕傲會把神對我們最急迫的禱告的回應，運用在一些不適當的事情上。

我們充滿驕傲的禱告使神左右為難——如果祂不答應我們的禱告，神顯得不良善而疏遠，如果祂答應我們的禱告，我們最後變得比以前更糟。

勝利者和失敗者

禱告至少在兩種情況下使我們更驕傲。第一種情況是我們禱告，希望自己能踩在別人頭上贏得勝利。這樣的禱告，企圖讓我們成為勝利者，讓我們的對手成為失敗者，我們也就強迫神在一個我們不計代價想要贏的比賽、爭執或衝突中選邊站。正如托爾斯泰的短篇故事裏，瑪麗對痛心疾首的母親說的話：「你不應該向神發怒，祂不能聽從每個人的禱告。有時候，人只聽一面之詞，為了一方的益處，另一方卻要受害。」[3]

可是，如果另一方的人也為得勝而禱告呢？如果兩個人為相反的事禱告，那麼神不能同時答應兩人，他們的要求是互相排斥的。如果神同時答應了這兩個人的禱告，祂會自相矛盾。所以，至少有一個人會——也許是兩個人都會——感到失望，因為神不答應他們的禱告。可能神根本不會選邊站，至少不會像我們希望的那樣。

3　Leo Tolstoy, "Prayer," 41。

也許把勝利歸於神的人，是為了神根本沒有作的事而感激祂。在有贏有輸的情況中，神其實可能站在輸的那一方，祂可能急於答應那些人的禱告，因為祂的耳朵傾聽軟弱和絕望者的呼求。此外，失敗可能更讓那些人祈求神視為最重要的事——謙卑、勇氣和忍耐。換句話說，我們勝利的時候，必須小心，不要以為神是站在我們這一邊，不是站在失敗者那一邊（彷彿勝利就代表了神的喜愛，失敗則表示神的拒絕）。然而，因為神站在失敗者的那一邊，就認為祂永遠反對那些勝利者，對於這樣的說法，我們同樣也必須小心。也許神根本不會從輸贏的角度來思考問題，至少不會像我們這樣。

我的大兒子大偉上小學的時候，他參加的足球隊是城裏足球比賽聯盟首屈一指的隊伍。有一個時期，他的球隊連勝二十場，球季結束時更得到全市比賽的冠軍，可是第二年，大偉的球隊連輸了四場，包括慘敗給一個從來沒有打敗過他們的球隊。那個球隊在比賽後嘲笑侮辱大偉和他的隊友，使兩隊的關係更加惡化。

然而，大偉的球隊在最後全市比的賽中團結一致，使他們球隊能夠進入決賽。讓他們驚慌的是，他們必須迎戰幾個星期前剛大敗他們的球隊。兩隊都踢得很好，正常比賽時間結束時，兩隊的得分是二比二平手，所以兩隊必須加賽射門。射門是每隊要派出五個隊員從十二碼外向對方的守門員踢球，哪隊踢球進門最多就贏得比賽。

到這個時候，我們這邊的家長已經把比賽變成猶如中

古世紀的聖戰，充滿屬靈的意味。我聽見有些父母低語：
「求神讓我們的孩子獲勝。」有位婦女說：「神，如果他
們贏了，我會再相信你。」不落人後的我──一個信主多年
的基督徒、一個被按立的牧師、一個有數本神學著作的作
者、一個有哲學博士學位的教授──加入了這場合唱似的禱
告，甚至想出幾個神應當答應我們禱告的理由。

　　當我們的守門員擋住了最後一個射門，我們隊贏了，
孩子們狂喜，跳得老高，跳到彼此的身上，好像迪士尼電
影裏的一個場景。有位家長說：「我又相信有神了。」比
較穩重、虔敬的我只低聲說出感恩的禱告。

　　我們當然不知道球場另一邊發生了甚麼事，我最近才
比較瞭解另一隊，那已經大概是五年後，當我遇見對方的
一個基督徒家長。我們談話時，她描述自己兒子幾年前參
加的一場錦標賽，最初我並不知道她是在說那場非常著名
的比賽。

　　她說到她兒子的隊伍在決賽時遭受了「慘痛」的失敗。
根據她的描述，他們隊一直是支常敗隊伍，尤其總是輸給
一支「不知道輸的滋味」的球隊。他們隊最後總算擊敗這
個該遭天譴的球隊，而且把對方打得落花流水。在錦標賽
的決賽中，他們必須再面對這支隊伍。她說，他們隊「需
要」贏得那場比賽，才能完滿結束他們唯一贏球的一年。
可是，他們輸了──她說，「就在加賽射門時，而且是最後
的一球。」直到那時，我才明白她說的就是那場球賽。

　　神答應了我們的禱告，並且拒絕了他們的禱告嗎？我

不這麼認為。就我所知，神用更有意義的方式回應了他們的禱告。也許他們從此祈求自己的兒子能健康成長，能學會榮耀神，能成為有品格的人，也能發展出逐漸看淡足球比賽輸贏的人生觀。畢竟逆境也許比輕鬆贏得勝利更能幫助人長大，也許他們的輸球最終會比我們的贏球更加有益。

現在我回顧當時，覺得我們的禱告很可笑、充滿短見，也相當自私。可是，這真的令人吃驚嗎？我們常不多思索地作些自私的禱告。遲到了，我們就為能找到停車的地方禱告，從來沒有想過另外十個跟我們一樣遲到的人，也在為立體停車場僅剩的兩個停車位禱告。我們在選舉時為勝選禱告，忘記了一方勝選就代表另一方敗選，而對方可能和我們一樣經常禱告。我們為商場上的成功禱告，雖然我們的銷售增加可能傷害街那頭的對手，而他們也同樣為成功禱告，並且比我們更需要成功。這種禱告不見得就不好，可是我們應該記住：答應我們的禱告可能會造成他人的損失。

這些是單純無邪的例子，可是並非每種禱告都如此。有時候，人祈禱得勝，是因為有很大的利害衝突，而禱告似乎是絕望和失敗以外的唯一選擇。彼此敵對的基督徒，曾經——現在仍然如此——為更嚴重、更具殺傷力的衝突，祈禱自己那方獲勝。有些在美國的基督徒為以色列能勝過巴勒斯坦人禱告，而在巴勒斯坦的基督徒不是祈禱能得勝，卻是為和平禱告。又如有些北愛爾蘭的基督徒祈禱擊敗不管是新教還是天主教的「敵人」，然而其他基督徒不是

祈禱能報復，卻是爲和解禱告。還有些在美國的基督徒爲我們國家的經濟復甦禱告，但世界上其他地區的基督徒是爲有足夠的食物、能多活一天而禱告。

南北戰爭時出現相同的問題。南軍和北軍都宣稱神站在他們那邊，都引用同樣的聖經，可是得到相反的結論，並且雙方也都爲勝過自己的同胞而禱告。顯然神不能答應他們的每個禱告。

諷刺的是，林肯（Abraham Lincoln）是唯一從來沒有加入教會的總統（雖然他會參加長老教會的聚會），因此常被指責爲不屬靈，他曾經對於南北戰爭表達了可能是最深刻的神學分析。兩邊的基督徒都宣稱神站在他們那一方，林肯卻懷疑神是否站在任何一方。「兩方都讀相同的聖經，也都向相同的神禱告，並爲擊敗對方而呼求祂的幫助。任何人膽敢向公義的神懇求幫助，使自己能從別人的痛苦中獲得利益，這看起來似乎太奇怪了。……兩方的禱告都不能得到答應，沒有任何一方的禱告能得到完全的答應，全能至高的神有祂自己的目的。」

我們像對方一樣爲勝利禱告，可是我們怎麼知道自己是正確的，而對方是錯誤的？即使我們是正確的——有時候確實有一方是正確的，而另一方是錯誤的！——神可能仍然心中另有超越我們的旨意。此外，我們也很可能在表面上完全正確，但是在生命中最重要的事上有錯誤。那麼至少當我們禱告時，我們必須謙卑，並且知道神有祂至高無上的主權。雖然一方的勝利也許很好、很正確，但在神推動

的更大計劃中，那個勝利可能仍只扮演一個小角色。神也許會選邊站，可是不見得是選我們這邊，即使有時候我們其實是正確的一方。

這是爲勝利禱告的危險。從狹隘的觀點來看，我們的理由也許是正確的，可是從寬廣的角度來看，我們也許仍舊是錯誤的——彰顯驕傲、因得勝而幸災樂禍、極端嚴厲地懲罰犯錯者，並爲自己的罪找藉口。進行聖戰的人都面對一個很大的危險，不論他們的聖戰有多麼正當，他們會變得看不見自己的錯誤。他們對自己的正確和有神同在充滿信心，以致無法察覺自己也可能犯錯。他們反對墮胎，可是不顧婦女的需要。他們爲民權奮戰，可是把秘書和清潔工當作二等公民。他們擁護聖經中的性別對待標準，可是對自己的配偶和孩子少有仁慈和憐憫。

所以，有時我們必須爲勝利禱告，卻應該永永遠遠帶著謙卑來禱告，否則，我們獲得的「勝利」只會是付出重大代價的慘勝。耶穌問道：我們若贏得全世界——在我們參與的每個衝突中都獲勝——卻輸了自己的靈魂，又有甚麼益處呢？

付出太大代價獲得的力量

因此，爲自己得勝禱告、卻犧牲別人，是我們禱告可能不蒙垂聽的第一種情況。第二種情況是：禱告獲得答應會導致我們靈命的敗壞。同樣的，我最近也一直苦思這個

問題。

　　我多年來就知道力量的危險，即使對於那些似乎很有理由擁有力量的人而言，也是如此。經驗和歷史都告訴我們力量的危險。經濟上的力量（如財富）會讓人崇尚物質主義、貪心；政治上的力量（當選公職）會變成爲狹小、自私的利益服務；知識上的力量（學術職位）會降服於意識形態，也就無法尋求眞理；軍事上的力量會變成強凌弱，來懲罰對方，無論對方是否眞正犯錯。歷史長河中有太多力量轉變成惡的例子，敗壞了那些擁有力量的人。一切形式的力量本質上都具有危險性。

　　我們通常認爲自己是例外，我知道自己是這麼認爲。在我的自我幻覺中，我很有自信，覺得力量不會使我腐化，因爲我認爲自己幾乎永遠正確、很智慧，也很能善加使用力量。所以，如果我擁有力量，我會很負責地使用，不必擔心除我之外其他每個人都犯的錯誤。可是，在理論上要利他無私容易，也就是當我假想如果自己擁有力量會怎麼行使時，但在實際生活應用上就很難利人無己。

　　我們沒錢時說：如果自己有些錢，會大方幫助別人，可是當我們的收入增加時，會找到很好的理由爲自己花錢，這就是爲甚麼最吝嗇的人（至少就收入的比例而言）是有錢人。進入政壇前，我們宣稱自己會支持正義，可是一旦我們擔任公職，就運用公職爲自己的利益服務。剛進入高等教育界時，我們想像自己勇敢地追求眞理，可是等到我們得到穩定的職位，就沉溺於最新的知識潮流，並自

滿自負。我們幾乎完全無法爲大多數人的利益行使力量。

玲德和我剛結婚時，我們勉強靠我微薄的收入度日，我們必須非常節儉，才能將收入的十分之一奉獻給教會。現在多年以後，我的收入增加許多，我有足夠的錢滿足自己的需要和渴望，還能有些盈餘，但是我發現自己現在比較不願奉獻，雖然多年前我其實是過著貧窮的日子。擁有更多錢並沒有讓我更加大方，至少我心中並沒有如此。

我也是正教授，爬升過不同的等級，直到我不能再晉升。我以前想過擁有大學中最高的職位會是怎麼樣的日子，我想像自己大方地把時間奉獻給學校，志願作行政工作，並輔導新進同事。但是，我現在更吝惜自己的時間，更謹慎地不再接下不符合自己學術興趣的計劃，也對於自己發展出來的計劃和課程更加保護。我必須強迫自己和別人分享權力，才能引進新人和新觀念。

屬靈力量的危險

令人驚奇的是，屬靈的力量和其他任何一種力量一樣，也可能很危險。要得到屬靈的力量，最主要的方法當然是經由禱告。我們禱告時，是呼求超越一切的神用祂的力量來作某種善事──治癒我們深愛的人、給我們作決定的智慧、使一個新服事蓬勃興旺、保衛正義的作爲、給我們力量影響世界。有很長一段時間，我不瞭解屬靈力量的危險，沒有意識到：我們經由禱告得到的屬靈力量，如果不

是比其他任何一種力量更容易腐敗，就是同樣都會腐敗。

在二十世紀的作者中，對於探討各種力量的腐蝕本質，包括屬靈力量的腐化本質，有最深入研究的，也許莫過於著名的《魔戒》（*The Lord of the Rings*）三部曲的作者托爾金（J. R. R. Tolkien）。他寫作那部三部曲並非毫無所本，而是經歷了兩次世界大戰的蹂躪，尤其是第一次世界大戰，是基督教帝國的互相攻打，造成極大的生命損失（一千萬人死亡），使托爾金心中對力量產生揮之不去的疑問。

托爾金寫三部曲有許多目的，其中之一就是要探索這個主題。邪惡的巫師索倫（Sauron）打造了二十枚具有魔力的戒指——三枚給精靈，七枚給矮人，九枚給人類的君王。可是，他留下一枚給自己，而這枚戒指「統領所有戒指，並在黑暗中聯合一切戒指」，是最具有力量的，能控制其他戒指。

這枚戒指隱射使人自我陶醉、倒行逆施、掠奪破壞的超自然力量。無論本意有多麼美善，擁有這枚戒指的人最後一定會把戒指用在邪惡的事情上，這個定律似乎絕無例外。所以，最好的人——法師甘道夫（Gandalf）、精靈女王凱蘭崔爾（Galadriel）和真理之王亞拉岡（Aragorn）——雖然有機會取得這枚戒指，根本拒絕獲得，因為他們瞭解自己的軟弱和容易墮落。他們選擇在弱小和謙卑中生活，如果必須遭受挫敗也在所不惜，而不願冒著被魔戒的力量腐化的危險。反諷的是：這麼作反而使他們充滿力量。

雖然如此，使用這枚戒指的誘惑，即使是為了某個好

的目的，還是使他們幾乎無法抗拒。像甘道夫這些最好的人所受到的誘惑，是他們想運用這枚戒指來行善，出之於憐憫的力量會變得危險，因為不論本意有多麼好，魔戒的力量會逐漸侵蝕人心，使人心轉向邪惡。有一次，魔戒的看守者哈比人佛羅多（Frodo），對偉大的好法師甘道夫說：「你充滿智慧和力量，你不拿著這枚戒指嗎？」甘道夫回答：

> 「不！得到那個力量，我就會有太大、也太可怕的力量，而且藉著我，魔戒就會得到更大、也更具殺傷力的力量。……但是，魔戒要控制我的心，是藉著憐憫，就是憐憫軟弱的人、並想得到行善的力量。不要誘惑我！我不敢拿這個戒指，即使是要看守戒指讓別人無法使用也不敢。想支配這個戒指的希望，會超過我自己的控制力。」[1]

諷刺的是：「半人半侏儒的」佛羅多，他這種人沒有成就非凡事業的野心，只想過著平靜、和平的生活，卻被委以重任，要把戒指帶到魔多境內的命運山，在那裏可以摧毀魔戒。佛羅多謙卑、弱小，使他有資格完成這個任務，因為他最不可能使用魔戒的力量，即使是幫助別人也不可能。

1　J. R. R. Tolkein, *The Fellowship of the Rings: The Lord of the Rings* (New York: Houghton, Mifflin, & Co., 1954), 60＝托爾金著，朱學恆譯，《魔戒》（台北：聯經）。

我不是說禱告像魔戒，本質邪惡。佛羅多被委以摧毀魔戒的重任是因為魔戒會腐化人心，不論想用戒指的人有多麼好的動機。禱告完全不會以同樣的方式腐化人心，然而禱告還是有某種危險，或者更應該說：一旦我們的禱告獲得答應，我們有某種危險。神答應禱告，是為我們好，也為祂自己的榮耀；可是，面對獲得答應的禱告，我們可能作出對我們無益、也不榮耀神的事。

　　屬靈的力量直接來自神，所以比其他任何力量都大，比軍隊、教育、職位和財富都更強大有力。屬靈的力量是創造世界、保持世界進行和救贖世界的力量；是使瞎眼的人得以看見、使死人可以復活、使人心可以改變的力量。沒有其他力量能像屬靈力量這樣奇妙和美善。正因為這個原因，屬靈的力量也可以是非常可怕、非常危險的。不是因為神怎麼使用這個力量，而是因為我們可能會任意地加以使用這個力量。神如果不因我們一時興起或忽然有一個希望就隨意的賜予我們這個力量，是憐憫我們。

濫用禱告的力量

　　禱告也像其他獲得力量的方法而會被濫用。我們的禱告可能變得自私、懷惡意和狹隘瑣碎，神因為憐憫我們，不答應我們所有的禱告。如果神答應了我們所有的禱告，我們會變得極為敗壞，我們會把禱告當成沒有額度限制的信用卡。當然，我們宣稱自己會善用禱告，也會為崇高的

目的禱告。我們能這麼宣稱，因為也只能如此宣稱──只能是一個宣稱、一個理想、一個理論上的說法。我們的許多禱告成果不多或毫無成果時，要誇口我們的禱告如果蒙垂聽會有甚麼成果，是很容易的事。

可是，如果我們的禱告蒙垂聽──不是只有一些蒙垂聽，而是全部蒙垂聽，尤其是我們最好和最值得蒙垂聽的禱告──我們會成為怪獸，比希特勒（Hitler）或史達林（Stalin）更壞。剛開始，我們會很傻，像個小孩向鄰居炫耀他們羨慕的新玩具，我們會讓樹在空中飛，開好車飛躍密西西比（Mississippi）河，把月亮變成綠色的乳酪。

然後，我們會變得認真些，甚至崇高起來，生活的困苦會逼迫我們使用禱告。我們會因為無處可去、無人可求，而向神禱告。我們會因迫切需要或想要甚麼而禱告，心中明白神的答應是我們最後的機會。我們會像我多年前一樣，在可怕的車禍後，求神不要帶走我受傷和垂死的家人。

那可能是我最虔誠、最急迫的禱告，如果神答應了我的禱告，醫治我的家人，會發生甚麼事？如果神立刻當場治癒了我太太玲德、我女兒黛珍、我母親葛絲，讓每個人──不僅在場的目擊者，甚至每個聽說這件事的人──都感到驚奇眩目，會怎麼樣？會發生甚麼事？我只能猜想。

當然，人們會覺得震驚和好奇，這樣的事會受到世界各地的矚目，報紙會連續報導幾天，我家人的相片會出現在重要雜誌的封面，電視新聞和談話性節目會吵鬧著要求訪問我們，我們會得到大好的機會來見證我們的信仰，也

榮耀神。

也許我會因此受到鼓勵，只作幫助他人、榮耀神的事，至少剛開始會如此。也許我的牧養服事會如此單純無邪地展開，可是不會維持得太久，最後我會成為禱告方面的專家，是神和其他人之間成就奇蹟的中間人。我會被迫聘用一個代理人和一個職員，我會寫本有關禱告的書（書名和本書會大不相同！），吸引了一群追隨者，建立一個叫「神蹟服事」的組織。我會在世界各處舉辦禱告聖戰大會，幫助人們汲取神醫治的力量。我會變得有名、有權，也有錢。

通常不就是這樣嗎？腐敗不就是這麼開始的嗎？神作了某個非比尋常的事，像醫治在意外中受到重大傷害的家人，我們希望別人也經歷同樣的恩典，所以我們推銷這個神蹟，把禱告變成任何人都能掌握的技巧，並贏得世界的歡呼擁戴。我是在譏諷人性嗎？有些宗教電視臺的節目提醒我自己：對於人性冷靜嚴肅的分析並不過分。

如果神答應了我們所有的禱告，遲早我們會用禱告來增加自己的利益，並贏取世界的掌聲。我們會如雅各所警告的，變成世界的朋友，也就成為神的敵人（見：雅各書四 4）。我們只會用禱告的力量來增加自己的力量，直到神阻擋我們繼續這麼作。

然後，我們甚至會向神挑戰。我們會變得有如魔鬼——傲慢、驕傲、厚顏無恥——用禱告來提高自己、誇示炫耀、並讓自己取代神的地位。這不就是亞當和夏娃在被趕出伊甸園之前所作的事嗎？這不就是魔鬼在被逐出天堂之前所

作的事嗎？

　　總之，我們會為自己的益處（像健康、財富、成功和統治權）使用禱告的力量，而不會為神希望我們得到的美善（像生活的聖潔、服事的虔敬和心靈的良善）——即使我們一開始的禱告是急迫的，目的也是純潔無邪的。我知道這一切聽起來充滿想像，可是並非如此，這不是開玩笑的。我們認為自己會是例外，可是永遠沒有例外。屬靈的力量會毒害、敗壞我們，結果會非常嚴重。

保護我們不受自己傷害

　　有任何例外嗎？我只能想到一個人。耶穌自己知道屬靈力量的危險。如果有任何人有正當理由，可以擁有並使用屬靈的力量，肯定非耶穌莫屬。祂等待了三十年，才開始祂的事奉。在那些年歲中，祂的生活平凡無奇得少為人知，沒有甚麼值得一提的。祂是個木匠，也許幫忙扶養祂年幼的弟妹，並默想妥拉（Torah，即律法）。

　　那些年的責任、孤獨和貧寒，讓祂準備好，能進行短短三年的服事大眾的工作。約翰為祂施行洗禮、聖靈降臨在祂身上、祂在天上的父確認祂是神的兒子之後不久，就開始了事奉的工作。我們會認為耶穌那時應該已經準備好要服事，祂已經經過鍛鍊、受了洗、被確認，也被充滿。

　　可是祂必須先面對試探，所以聖靈把耶穌催促到沙漠，魔鬼在那裏誘惑祂。魔鬼三次引誘耶穌濫用屬靈的力

量——爲滿足食慾而把石頭變成麵包、爲得到統治世界的力量而向這個世界的神低頭、爲贏得世人的仰慕而行神蹟。耶穌有世上一切的理由屈服於這些誘惑，祂肚子餓了，爲甚麼不滿足自己的食慾？耶穌顯然是世界王冠的繼承者，爲甚麼不走捷徑，假裝和魔鬼結盟？耶穌反正會是個行神蹟的人，爲甚麼不使群眾眩目，使大家更容易相信祂？

可是這些誘惑是在錯誤的地方、錯誤的時間、錯誤的情況下，支取和行使這樣的力量，耶穌抗拒了。耶穌有資格非常有效地使用屬靈的力量，因爲祂會把這力量放在一邊，拒絕爲增加自己的利益而利用這力量。祂選擇先忍受被剝奪一切，讓自己被洗滌和潔淨，如此預備自己在通過試探之後，能夠使用力量。

諷刺的是：耶穌後來確實得到力量，熱切地禱告，也行使極大的影響力。祂向在天上的父禱告後，把五個餅和兩條魚增加了許多倍，來餵飽五千人。祂行了無數神蹟——是爲了憐憫，而不是爲了炫耀。現在祂成爲全宇宙之主，但是只在面對羞辱、苦難和死亡之後。祂拒絕濫用屬於自己的正當力量，也拒絕彰顯自己，雖然祂很可以這麼作。保羅說得很好：雖然耶穌是：

　　　本有神的形像，

　　　　　不以自己與神同等為強奪的；

　　　反倒虛己，

　　　　　取了奴僕的形像，

成為人的樣式；

既有人的樣子，

就自己卑微，

存心順服，以至於死，

且死在十字架上。

——腓立比書二 6～8

祂一直堅持謙卑和犧牲到最後，即使耶穌自己有一次為了顯然可以理解的原因，似乎有所動搖。當想到如此屈辱的死法，誰不在極度的恐懼中退縮？在客西馬尼園裏，耶穌禱告說：「我父啊！倘若可行，求你叫這杯離開我。」這是祂的禱告，但是他加上一句：「然而，不要照我的意思，只要照你的意思」（馬太福音二十六39）。祂的禱告顯然不蒙垂聽——是為我們的緣故，不是為祂的緣故。想像一下如果耶穌的禱告

禱告不蒙垂聽會破碎我們、鍛鍊我們、淨化我們，使我們獲得更大的屬靈深度，有更大的屬靈力量。

蒙垂聽了！祂的生命得以保全，我們的生命就注定毀滅。耶穌的禱告也應該獲得答應的。但神不是憐憫耶穌，而是憐憫我們，所以拒絕答應祂自己完美、純潔兒子的禱告。

我們不是在這裏把傳統的數學運用到屬靈生活。根據聖經，死帶來生，失帶來得，軟弱帶來剛強，而苦難帶來

力量。禱告不蒙垂聽會破碎我們、鍛鍊我們、淨化我們，
使我們獲得更大的屬靈深度，有更大的屬靈力量。

　　我又想起托爾斯泰的短篇故事〈禱告〉裏的另一句話。
瑪麗對剛失去兒子的母親解釋：

　　「有時候會發生這樣的事：一個家庭沒有任何罪過，
卻破產了，損失了他們的生意，無法有好住處，住在骯髒
的房間裏，他們甚至沒有錢買茶葉！他們痛哭，祈禱得到
某種幫助。神可以滿足他們的所有禱告，可是祂知道這麼
作會對他們不好。他們看不見，可是天父知道：如果他們
活得奢華、擁有許多錢，他們會完全被寵壞。」[1]

　　十九世紀貴格會（Quaker）的信徒史哈拿（Hannah
Whitall Smith）在美國出生並長大，生命中面對了許多苦
難，雖然她是個卓越非凡的婦人，很有影響力，也常禱告。
史哈拿失去七個孩子中的四個，後來搬到英國，還必須扶
養兩個孫子。年老的時候，她因風濕病而不良於行，必須
坐輪椅，但是她品嘗生活、享受神，也熱愛生活周遭的人。
她的孫子尤其記得她和他們一起嬉戲玩耍，有著無拘無束
的熱情。她在《信徒快樂的秘訣》（*The Christian's Secret of
a Happy Life*）一書中，和讀者分享了她對於基督教信仰的
洞見，書中除了教導我們基督徒生活的實用智慧，也包括

---

[1]　Leo Tolstoy, "Prayer," 42。

了許多禱告。

禱告不蒙垂聽導致苦難，但並沒有使史哈拿放棄禱告，反而使她更多禱告。「俗話說得好：『世上的煩愁是屬天的操鍊。』可是世上的煩愁甚至比操鍊更好——這些煩愁是神的戰車，來把我們的靈魂載到勝利的最高境界。這些煩愁看起來不像戰車，而像敵人、痛苦、磨難、失敗、誤會、失望、不仁慈。」[2]

聽起來可能很奇怪，但是我們需要不蒙垂聽的禱告。那是神給我們的禮物，因爲能保護我們不受自己的傷害。如果我們所有的禱告都得著答應，我們只會濫用禱告的力量。我們會用禱告來把世界變成我們所喜歡的世界，那就會是在世上如在地獄。像有太多玩具、太多錢，被寵壞了的孩子，我們只想要抓到更多東西。我們會爲自己的得勝禱告，寧可犧牲別人；我們會因爲自己所支配的力量而被毒害；我們會傷害別人以提高自己。

不蒙垂聽的禱告保護我們，不蒙垂聽的禱告破碎我們、深化我們、暴露我們，並轉變我們。諷刺的是，如果我們願意看進自己靈魂深處的黑暗，在似乎沒有任何理由繼續禱告的時候仍堅持禱告，過去常使我們覺得受傷、被摒棄和幻滅的不蒙垂聽的禱告，會成爲鍛鍊造就的火，會爲將來蒙垂聽的禱告預備我們。

---

[2]　Hannah Whitall Smith, *The Christian's Secret of a Happy Life* (Old Tappan, N.J.: Spire Books, 1970), 159-60＝史哈拿著，譯，《信徒快樂秘訣》（香港：證主）。

Questions
for
Discussion

1. 回顧過去，想出一些幸好禱告不蒙垂聽的
例子——這種不蒙垂聽的禱告是送給你的
禮物。

2. 探討爲勝利禱告可能合理的理由。思考
甚麼時候這種禱告可能仍舊是錯誤的。列
舉一些例子。

3. 禱告的力量怎麼會危險？舉出一些例子。

4. 爲甚麼耶穌在沙漠中面對的試探非常危
險？祂怎麼抗拒這些誘惑？

第 **5** 章

禱告發掘心靈

Prayer Excavates the Heart *

禱告需要較多的心靈，較少的舌頭。

———亞當‧柯拉克
(Adam Clarke, 1762-1832)

身為基督徒，我成人以後背誦的第一個章節是詩篇一百三十九篇。當時是我上神學院的第一年，很年輕，剛結婚，不確定自己是誰，也不知道自己的方向。我對生命不滿、不安，恍惚覺得自己的生命沒有按照自己的渴望進行，雖然我不確定可以有甚麼不一樣的生命。我經常為解除這些苦惱禱告，可是苦惱沒有解除，但我也沒有什麼可以開口抱怨明顯的理由，我的生活情況很安全、安定，但是我還是覺得悵然若失。

有位朋友建議我思想詩篇一百三十九篇，這是我第一次被人要求背誦一整章聖經。朋友的建議似乎要求太高，他乾脆叫我背整本聖經算了，可是我想背誦聖經的部份章節是上神學院的人應該作的事，所以我接受挑戰，這麼作改變了我的生命。

詩篇的作者一開始就承認神比他更知道自己。

> 耶和華啊，你已經鑒察我，認識我。
> 我坐下，我起來，你都曉得；
> 你從遠處知道我的意念。
> 我行路，我躺臥，你都細察；
> 你也深知我一切所行的。

他也知道自己不能逃避神的同在。不管他往哪裏去，不論他怎麼努力躲避，神都與他同在。

我往哪裏去躲避你的靈？

　　我往哪裏逃、躲避你的面？

我若升到天上，你在那裏；

　　我若在陰間下榻，你也在那裏。

　　事實上，他發覺神從一開始就與他同在，甚至在他未成形之前。神早已設計他的外表，也決定了他的年壽。

　　被這樣的瞭解所感動，詩篇的作者向他無法逃避的、創造他的、個人的神降服，他求神光照他的靈魂——暴露他、試煉他、洗滌他，並淨化他。他邀請神在他的生命中行祂的道。

神啊，求你鑒察我，知道我的心思，

　　試煉我，知道我的意念，

看在我裏面有甚麼惡行沒有，

　　引導我走永生的道路。

自我反省

　　詩篇一百三十九篇讓我學到了自我反省的操練。我開始求神像鑒察詩篇的作者般，也鑒察我的心靈。藉著思想詩篇一百三十九篇，我學習到自己必須忍受的最大苦惱是我自己——我的自私、不滿足和壞習慣。我要把這個苦惱丟給神。

十九世紀屬靈作家史哈拿非常瞭解這個問題，她寫道：

> 當我說到苦惱，我是指一切讓我們煩惱的事，不論是
> 屬靈的還是世俗的苦惱。首先，我指的是我們自己，我們
> 在生命中必須承擔的最大煩惱是自我，我們最難管理的是
> 自我。……因此，要解除你的煩惱，第一個要除去的是你
> 自己。[1]

　　要進行自我反省並不自然，也不容易，我們內心裏有
某種東西會抗拒這麼作。不像兒童，我們似乎比較畏懼光
亮，比較不怕黑暗，通常要有很困難的境遇——人際關係的
衝突、學業或工作的失敗、內心的混亂——才會迫使我們回
到光明。好像我們必須經歷恐怖的黑暗，尤其是經歷我們
自己靈魂裏的黑暗，才願意尋找光明。

　　禱告不蒙垂聽是這種境遇之一，促使我們探究內心最
深之處，並且問自己探索的問題。問題出在神嗎？還是出
在我們自己？無法自行解答這樣的問題，我們就禱告（如
果我們敢禱告！）：「神啊，求你鑒察我，知道我的心思；
試煉我，知道我的意念。」

---

[1] Hannah Whitall Smith, *The Christian's Secret of a Happy Life* (Old Tappan, N.J.: Spire Books, 1970), 28＝史哈拿著，《信徒快樂秘訣》（香港：證主）。

渴望

　　有時候我們恰巧在某個時候讀到某本好書，這本書就改變了我們的生命。我三十多歲時第一次讀到聖奧古斯丁的《懺悔錄》(*The Confessions*)，四十五歲時又再讀了一遍，像讀到一本完全不同的書。我猛啃這本書，在空白處寫了許多評論，好像自己在寫另一本回應該書的書。我一次只能讀五到十頁，然後必須停下來，因為受到太多激發，覺得太精疲力盡，無法繼續閱讀。我花了許多時間思想這本書。

　　奧古斯丁活在第四世紀，用向神禱告的形式寫《懺悔錄》一書。該書是深入反省他自己漫長而紛亂的信仰之旅。在青少年期，早熟的他拒絕基督教的信仰，認為這個信仰太愚蠢、粗糙、壓抑，不能認真看待。接下來的十五年，他探索其他似乎對世界有比較合理解釋的信仰，尤其是對於惡這個問題的解釋。他也沉溺在自己對享樂的貪婪渴望中，盡情擁抱世界所能提供給他的一切，他被自己的慾望捆綁。

　　奧古斯丁在迦太基（Carthage）上學，迦太基是當時非洲北部最大的城市。完成學業後他搬到羅馬，在那裏教修辭學。他最後來到米蘭，在那裏遇見改變他生命的人——米蘭教會的主教安波羅修（Ambrose）。那時奧古斯丁正開始重新檢視基督教，每個星期日安波羅修的講道吸引了奧古斯丁，消除了他在知性上對基督教信仰的排斥。安波羅修

使奧古斯丁相信基督教的信仰是千眞萬確的，是絕對的，完全超越他隨便接觸過的其他信仰。

然而，奧古斯丁還是不願意成爲基督徒，有些事深深隱藏在他心底，阻擋了他，那是他分裂的意志。奧古斯丁一方面想要相信，因爲他知道基督教的信仰是眞實可靠的，另一方面他又拒絕相信，因爲他知道自己必須把生命交給神，那意味著放棄許久以來讓他得到滿足的壞習慣。他痛苦地寫到這個衝突，既想要有純潔，又想要有性的滿足。「賜給我貞潔和自我控制，可是請暫時不要賜給我！」[2] 他熱愛神，企盼爲神而活，可是他不願意把自己完全交給神。

奧古斯丁因內在的衝突而裏足不前。談到自己對於成爲基督徒猶豫不決，他在《懺悔錄》中寫道：「我自己渴想有類似的改變，因爲不是有任何人用鐵鏈捆綁了我，而是我自己意志的鐵鏈。敵人掌握了我的意志力，進而鑄造了羈絆我的枷鎖。」[3] 只有在忍受了一段時期的內心混亂以後，他才把自己交給神。

我們的渴望可能在暗地裏破壞成功的禱告，因爲渴望使我們口是心非。我們想要認識神，所以我們禱告，可是我們也渴望罪，而罪使我們和神分離。我們的口是心非使我們不眞誠，因爲即使在我們向神禱告的時候，我們心裏還珍惜著罪。猶如奧古斯丁所說，我們有分裂的意志。

2　Augustine, *The Confessions* (New York: New City Press, 1997), 198＝奧古斯丁著，徐玉芹譯，《懺悔錄》（台北：志文，2000）。

3　Augustine, *The Confessions*, 192＝奧古斯丁著，《懺悔錄》。

　　富司迪在他知名的有關禱告的書中，談到同樣的問題。他說我們的禱告並不全然真實，因爲不能代表我們生命裏最根本的渴望。「我們求神賜下我們自己並不熱切渴望的『大禮』。例如我們祈求除去生活中的某個壞習慣，然而我們也拒絕放棄造成壞習慣的作法，或者養成壞習慣的同伴。」[4]

　　不蒙垂聽的禱告有時暴露了我們的表裏不一。我們禱告說：「主啊，使我聖潔，」然而我們卻拒絕放棄壞習慣。或者我們說：「主啊，拯救這個婚姻，」我們心裏卻無動於衷，只輕視我們的丈夫或妻子。我們爲心靈的純潔禱告，卻耽溺於淫慾，或者我們爲謙卑禱告，卻幻想自己能獲得讚賞和榮耀。我們的禱告動機經常是混淆和矛盾的，即使當我們禱告的時候，自私和不潔仍然存在，我們並不眞正願意丟開罪。這麼作足以讓我們發瘋，我無法想像神會怎麼想。

我們的禱告動機經常是混淆和矛盾的，即使當我們禱告的時候，自私和不潔仍然存在，我們並不真正願意丟開罪。

　　我特別想到兩種渴望，都破壞我們的禱告生活。第一

---

[4]　Harry Emerson Fosdick, *The Meaning of Prayer* (New York: Association Press, 1915), 133。

種渴望是我們想要享樂。我們想要放縱自己對於食物、飲酒、性、他人的關注和娛樂的慾望。一個大學生沉迷於網路色情網站;一個少女渴望高中男生的注意,幾乎要餓死自己來引起別人的注意;一群男子在釣魚時沉浸在飲酒中;一個年輕母親每天開著電視長達六個小時。

第二個問題是渴望物質的富裕和昌盛。一個商人為爭取事業成功,甚至不惜犧牲家庭;一個年輕教授為在高等教育大展鵬程而妥協;這就是路易斯所觀察到的與中年人特別有關的罪。[5] 我們希望把這個世界變成自己的家,這種老式的說法其實也就是說我們想要有更多錢、更好的房子、更新的車、更好的音響、更多投資項目、更多存款和更大的安全感。

這些渴望影響我們的禱告,禱告會使我們正需要戒除的習慣更為強化。我們為享樂、成功、財富、舒適禱告——好像禱告就是要讓我們放縱自己擁有更多的慾望。我們不再為麵包禱告,我們為豐盛的宴席禱告;我們不為神國的降臨禱告,我們求神給我們自己的國。我們使用禱告來餵養自己的渴望。雅各寫到:「你們得不著,是因為你們不求。你們求也得不著,是因為你們妄求,要浪費在你們的宴樂中」(雅各書四 2 下~3)。

5　C. S. Lewis, *The Screwtape Letters* (New York: Macmillan, 1976), 129-32＝魯益師著,魯繼曾譯,《地獄來鴻》(香港:基督教文藝出版社,1958),108-12／曾珍珍譯,《大螂頭寫給蠹木的煽情書》(台北:道聲)。

這種禱告方式可以解釋為甚麼我們的禱告不蒙垂聽，我們祈求的是錯誤的事。

然而，我們必須完全純真、聖潔，禱告才能成功嗎？要達到這個目標似乎不可能，而且如果我們真能達到這個目標，我們就不再需要禱告了，我們會覺得非常滿足。那麼變得完美不是解決之道，因為根本不可能作到。即使我們真能作到，完美不能強制神一定要答應我們的禱告，就像努力工作不能強制上司一定要給我們加許多薪水。

詩篇的作者祈求神：「看在我裏面有甚麼惡行沒有，」因為他知道在自己靈魂裏隱藏著惡性，像潛伏在暗處的掠奪者。他向神呼求，非常知道自己的軟弱和容易墮落，他把自己表裏不一的問題化作禱告。他鑒察著自己，求神洗滌和潔淨他。他的渴望和失敗沒有讓他遠離神，反而使他更親近神。

與其在禱告之前企圖壓制或根除我們的渴望，我們不如把渴望化作禱告——化作認罪的禱告。怎麼作呢？就向神承

與其在禱告之前企圖壓制或根除我們的渴望，我們不如把渴望化作禱告——化作認罪的禱告。

認：當我們禱告時，我們不總是真誠；當我們求神幫助我們克服罪時，因為我們很喜愛罪帶來的享樂，我們不總是真心；當我們為別人的需要禱告時，因為我們經常想到自己，我們不總是誠實。奧古斯丁和自己分裂的意志奮戰的

時候，他承認自己有問題，並尋求神的幫助，他求神幫助自己克服表裏不一的問題，使他能完整、純潔。

積怨

　　渴望罪這個習慣是我們的禱告之所以可能不蒙垂聽的一個原因，第二個原因是我們心懷怨恨。耶穌在主禱文中教導我們說：「免我們的債，如同我們免了人的債。」我覺得耶穌提到的先決條件是不可能的要求，我們必須先原諒人，才能被原諒？我們必須先克服積怨懷恨，我們的禱告才能被聽見或答應？如果任何人曾經心懷怨恨，他或她就知道要克服這個問題有多麼困難。

　　可是，我想這段文字其實有很不同的意思，並不是要我們使自己配得原諒，而是要我們瞭解自己其實是個罪人。原諒別人的人，知道自己本性的脆弱和墮落，他們知道自己迫切需要恩典，因此他們願意原諒和他們一樣、有相同本性的別人，把他們需要從神那裏得到的恩典也給別人。他們原諒別人，因為他們知道自己需要被原諒。在他們的破碎中，不管是他人的殘忍造成的破碎，還是自己愚昧的選擇導致的，他們已經預備好，也願意接受神的憐憫恩慈。

　　耶穌用戲劇化的方式提出這一點。一群親密的朋友在有錢的朋友西門家吃飯，他們圍靠著中庭的大桌，許多僕人進進出出，耶穌也在那裏，是新來的賓客。起初談話似

乎緊張、不自然，可是西門的客人很快就放鬆心情，各自談話。西門放下心來，覺得能妥善度過這個夜晚。

突然他注意到一個女子跪在耶穌的腳前，她穿著挑逗的衣服，化著濃妝，是拙劣地模仿誘惑人的裝束。她的臉看來蒼老憔悴，儘管西門猜她的年紀不會超過二十五歲。她靜靜地啜泣，眼淚落在耶穌的腳上。她用自己長而黑的頭髮擦乾祂的腳，然後把香膏倒出來，抹在祂腳上。

西門奇怪她是怎麼溜進來的，他想把她扔出去，可是感到猶豫，主要是因為耶穌看起來完全自在。西門的臉因尷尬而漲紅，不知道該怎麼辦。那時每個人都停止談話，只呆看著耶穌，訝異於這奇怪的一幕。難堪的沉默瀰漫，他們知道她是哪種女人，他們等待西門採取行動。

最後耶穌說話了，不是對那女子說，而是對招待他的主人西門說。祂告訴西門一個故事。耶穌說，有一個人，有兩個人欠他錢，一個人只欠他五十元，另一個人欠他五百元。他們都沒有錢還債，所以那人因為好心，決定免去他們的債。然後耶穌問西門：「你覺得這兩個人中哪一個更愛他呢？」西門回答：「當然是那個免去了更多債的人。」耶穌告訴西門說答他對了。

然後耶穌轉頭直視那名女子，雖然祂繼續對西門說話。祂告訴西門：祂進入他家時，沒有人遵照傳統的待客之禮——像給祂洗腳和用油抹祂的頭。可是這個從街上來的女子用她的眼淚洗祂的腳，用她的頭髮把祂的腳擦乾，還用香膏抹祂的腳。她是那欠了更多債的人，西門是那欠了

較少債的人。她知道自己的需要，遠比西門知道得多。耶穌免除了她的債，所以她對耶穌敬愛有加。多被赦免的人愛得多，少被赦免的人愛得少（路加福音七 35～50）。

我們很容易就能一眼看出不原諒別人的人，他們在任何地方都留下痕跡。他們容易覺得被冒犯，也經常這麼覺得，而且他們心中懷抱傷痛，有時是多年前的事，有時甚至是孩提時代的事。他們一再複述別人作錯的事，好像背誦劇本似的。他們絕對確信自己當時是——現在也是——受害者，而他們確實是受害者。這個世界有許多受害者，有太多人受到傷害。謀殺、強暴、勒索、毀謗、虐待，以及其他許多無法描述的罪，都在肆虐之處留下深刻、無法逆轉的傷害。

受害人也有權不原諒並且懲罰犯錯的人，他們很有理由這麼作；對於這樣的權利和指責，沒有人能置喙。可是，不原諒會造成許多傷害，不止於原先所受到的侵犯，就像原子彈爆炸後會產生輻射塵。不原諒人的人只注意到別人加在他們身上的錯誤——可能是嚴重而痛苦的錯誤，也經常是如此——他們看不見自己裏面的錯誤。沉迷在自己的痛苦中，他們容易忘記自己給別人——他們的子女、配偶、朋友，甚至神——造成的痛苦。

在意外發生後，我被迫苦思這個問題，喝醉酒的車禍肇事者被逮捕，被控多重駕車殺人罪，可是他竟因技術細節被判無罪。審判過後，我花了幾個月的時間回想意外的發生，並計劃復仇。我知道自己的靈魂瀕臨危險，我知道

自己的憤怒會變成毒藥。

　　當我明白那個人和我的差別只在於巧合——或者更應該說只在於恩典——我突然有所頓悟。那人在悲慘的環境中長大，沉浸在虐待、酒精和忽視中，而我在相當健康的環境中長大，得到機會、權利和支持，只有神知道我為甚麼會得到這些恩典，他卻不能得到。

　　難道我天生比那個人好嗎？我不認為如此。我也會作同樣的事嗎？我確定自己會。選擇原諒他，使我確信我們都有相似的本性和相似的需要，我們都是需要恩典的罪人，我們的差別既是環境、機會和影響的結果，也因為其他任何因素。當下我明白了：我們並沒有差別，我們存在的核心毫無差異。

　　心懷怨恨導致的問題和渴望一樣，會使我們的禱告不真誠，並且也如同渴望一般，是很難克服的行為。積怨懷恨使我們專注在別人對我們作的事情裏，使我們看不見自己的缺失和需要，我們被怨恨轄制。如果我們必須先除去積怨，禱告才能獲得答應，那麼我們的禱告將很少會蒙垂聽。

　　要走出這樣的牢籠，方法只有一個，那就是把積怨的問題化作禱告，求神作我們看為不可能的事，求神幫助我們原諒那些傷害我們的人。我們的努力便再次造成禱告的機會。

懷疑

禱告需要信心，可是需要多少呢？我禱告了多年，也為很多事禱告過。有時候我大膽地親近神，用小孩向母親要一杯牛奶般的自信禱告，可是不都能如此。其他時候當我受到懷疑的影響，不確定自己的祈求是否合適，也不確定神是否願意回應。完全的信心是我們禱告蒙垂聽的先決條件嗎？

討飯的瞎子巴底買的故事問了同樣的問題。他坐在耶利哥的路旁，聽見耶穌走過，耶穌身旁圍繞著一大群人；他大聲說：「大衛的子孫耶穌啊！可憐我吧！」人們不許他作聲，認為耶穌會被他的無禮所冒犯，可是他堅持繼續呼喊耶穌。

耶穌最後注意到那個人，站住問他：「要我為你作甚麼？」

巴底買回答：「夫子，我要能看見。」耶穌便當場恢復了他的視力。

故事裏的一句警語強調了信心的重要性：「你去吧！你的信救了你了」（馬可福音十 46～52）。看來巴底買的信心使耶穌能行神蹟。如果沒有信心，瞎眼就不能治癒。

但是聖經其實並不是這麼清楚明白。別的故事裏的人接近耶穌時，並沒有帶著十足的信心，他們有足夠的信心求助於耶穌，可是沒有足夠的信心相信耶穌會照著他們的祈求作。即使——或者說因為——沒有純全的信心，他們的

禱告不知怎麼還是獲得答應。

耶穌遇見一個擁有一切、卻沒有十足信心的人，我們甚至不知道他的名字。他因為兒子經常被鬼折磨得非常痛苦，希望兒子能被醫治。他先去見耶穌的門徒，因為耶穌不在（諷刺的是當時耶穌正在山上禱告）。耶穌的門徒嘗試醫治他兒子的病，可是沒有成功。耶穌回來後，聽見了門徒的失敗，祂為門徒的缺乏信心感到很不高興。祂說：「不信的世代啊，我在你們這裏要到幾時呢？我忍耐你們要到幾時呢？」

然後耶穌說要見那個孩子，孩子立刻又被鬼折磨，倒在地上，口吐白沫。在驚慌中，孩子的父親對耶穌說：「你若能作甚麼，求你憐憫我們，幫助我們。」

耶穌似乎要生氣了：「『你若能』？……在信的人，凡事都能」（《新國際版》）。

孩子的父親立刻喊說：「我信！但我信不足，求主幫助」（馬可福音九 14～29；參：路加福音九 28～43）。耶穌便斥責那控制孩子的鬼，孩子就被治癒，就這麼簡單。

這個父親的信心不完全，他的信心摻雜著懷疑，他的信心和懷疑爭戰，他有希望出現神蹟的信心，但仍然帶著懷疑。是的，信心是禱告蒙垂聽的先決條件，可是要有多少信心呢？必須是絕對完美、純潔的信心嗎？我們必須連一絲懷疑都沒有嗎？我們必須先相信神會答應，神也必須答應我們的禱告，才能獲得任何答應嗎？

幾年前，我的朋友接到電話通知，他們的兒子在一個

奇怪的意外事件中受傷。他們的兒子在公園和朋友們角力摔跤，脖子折斷，頸部以下癱瘓。經過一套測驗，他的父母接到壞消息，他們的兒子變成四肢癱瘓。

可是這對夫妻不接受這樣的診斷，他們相信神會醫治他們的兒子，他們非常確信，所以他們禱告。他們的兒子後來逐漸恢復，今天他看不出甚麼受傷的痕跡。他們在信心中禱告，他們也得到答應。

但是我另外一對朋友有個女兒，被診斷得了癌症，他們也禱告，確信神能夠醫治，也會醫治她。他們遵照醫生的建議，接受了一套標準的療程，並且繼續相信女兒會痊癒。女兒還是死了。

難道是有對夫妻有足夠的信心，另一對夫妻沒有嗎？

有些人這麼想，大多數人懷疑。大家都覺得疑惑：「為甚麼一個禱告獲得答應，另一個禱告沒有獲得答應？」我知道有些靈修大師說：如果我們有真正的信心，我們便能夠得到，也會得到任何我們祈求的事。他們是用邏輯來為這個觀點辯護。當然神希望我們幸福快樂地生活，享受健康的身體，經歷生命的豐盛。如果我們有所欠缺，那是因為我們沒有求，如果我們確實求了，那就是因為我們沒有在信心中求，所以沒有得到所求的。真正的信心既要求神的應許，也會得著。所以，如果摯愛的人生病不得痊癒，表示缺乏信心；如果某個男子或女子找不到工作，表示缺乏信心；如果教會不能成長，表示缺乏信心。信心是鑰匙，能打開一扇門，這扇門通往神行神蹟的力量。

　　這種想法吸引人之處在於清楚明白，我們合理的渴望就是希望宇宙按照可預測、可靠的規則運行。如果我們相信，生活就會美好，如果我們不信，生活就會悲慘，這種觀點假設神希望我們的生活美好，是在地如在天的觀點，可以解釋爲甚麼有些人享受美好的生活，有些人不能：前者有足夠的信心，後者沒有。神希望給我們禮物，我們有信心就能得到禮物。有足夠的信心，一切都會好。似乎就是這麼簡單。

　　也許太過簡單。第一個問題是這種看法的前提是錯誤的。神從來沒有承諾我們在世上的生活是要輕鬆、方便和昌盛的。大多數偉大的聖人沒有經歷到這種富足昌盛。例如使徒們因爲對基督的信心，遭受了極大的損失，其實他們當中除了一個使徒以外，都死在迫害者的手裏，無法得享天年。希伯來書裏不知名的作者說了許多信心「偉人」的故事，有些因爲信心行神蹟，有些因爲信心受到許多苦難，但是他們都因爲有眞正的信心而獲得讚賞（希伯來書十一 32～40）。

　　另一個問題是：想要擁有足夠的信心，會對我們造成很大的壓力，這恐怕不是我們大多數人所能忍受的。如果向那對失去女兒的夫妻說，他們女兒死於癌症是因爲他們缺乏足夠的信心，我會覺得非常殘忍，就像和那對兒子癱瘓的夫妻說，他們兒子又能行走是因爲他們有足夠的信心，我也覺得非常冒失。

　　有人認爲人的信心可以臻於完全；對於這種想法，加

爾文感到非常氣憤。即使聖人也沒有完美的信心，完美的信心不是重點，從來不是。「很顯然，聖徒們的信心經常摻雜著懷疑，也為懷疑所苦；他們懷著信心和盼望，卻仍然流露出缺乏信心的痕跡。」那麼，我們如果知道自己缺乏完美的信心，該怎麼作？加爾文鼓勵我們堅持到底。不必完美──只要有渴望、堅持和進步。「雖然還是面對各種阻礙，他們的努力仍然使神喜悅，如果他們努力的目標沒有立刻達成，他們的祈求仍然得到肯定。」[6]

> 信心不是在我們和神的關係中一疊用來討價還價的籌碼──如果我們有足夠的籌碼，我們就能強迫神作任何我們渴望的事。

耶穌說我們只需要一點信心──如芥菜種子一般大的信心。祂用這個比喻來說明信心多寡並不重要。只要信心是朝向正確的對象，亦即朝向神，一點信心就足夠了。事實上，信心並不是重點，重點在於我們把信心朝向誰。一旦我們想量化信心，我們就誤解了信心的本質。

信心不是在我們和神的關係中一疊用來討價還價的籌碼──如果我們有足夠的籌碼，我們就能強迫神作任何我們渴望的事。信心是要離開自我，空著雙手來接近神。信心

堅持一生的禱告

6　John Calvin, *Institutes of the Christian Religions* (Philadelphia: Westminster, 1960), 874＝加爾文著，《基督教要義》，中冊，297。

所相信的，不是信心本身，而是神；信心不是對信心本身產生信心，而是轉向神。信心是指我們不能為神帶來任何東西，我們是向神求所有的東西。

　　諷刺的是，在沒有理由懷疑的時候，可能就少有禱告的理由。正如我們已經知道的，有時候我們因為迫切而禱告，情況迫使我們禱告，我們別無選擇，只能禱告。可是這種艱難的情況，也引發我們對於神或我們自己的懷疑，會使我們遠離禱告。我從來沒有像因車禍損失了三個寶貴家人後那樣經常禱告，可是我也從來沒有那麼多懷疑。我的需要驅使我禱告，我的懷疑使我遠離禱告。我竟日僵坐，想要禱告但不能禱告。

　　面對懷疑，我們最壞的反應是停止禱告，認為——我想是錯誤的想法——只有擁有完美信心的人才能禱告。即使我們感到懷疑，我們也必須勇於禱告，正如同那個絕望的父親喊道：「我信！但我信不足，求主幫助。」真正的信心猶如在黑暗的經歷中開始閃爍的光，不論是多麼微弱，這光呼召我們禱告，甚至當我們很難找到禱告的信心時，也是一樣。

　　歷史上許多偉大的聖人都勸告我們：不要和心靈的黑夜爭戰，而是向心靈的黑夜屈服，然後藉著信心，逐漸在心靈的黑夜中找到神。十七世紀的靈命導師和作者高薩德（Jean-Pierre de Caussade）寫道：

在這黑暗中沒有拯救，只有沉入黑暗。藉著信心，神會在一切事上顯明祂自己。我們只不過是盲目的，毫無價值，不知道醫藥的益處，討厭醫藥的苦味，常想像醫藥是毒藥，所有哭泣和軟弱似乎都證明我們的懼怕有理。[7]

禱告的機會

像我們在討論渴望和積怨時一樣，相同的原則再次適用，我們必須把懷疑化作禱告。我們不需要在一開始有許多信心，我們只需要一粒芥菜種子般的信心，就足以呼求神，即使我們的呼求聲有如耳語或嗚咽般微弱。

> 我們只需要一粒芥菜種子般的信心，就足以呼求神，即使我們的呼求聲有如耳語或嗚咽般微弱。

渴望、積怨和懷疑不一定是屬靈生活的仇敵，反而可能帶來具創意的自我反省，但我仍然認為我們應該避免病態的自省，這兩者之間的界線經常模糊，兩者最終的差異在於目的。

具創意的自省會激勵我們，誠實地處理我們的靈性問題，並邀請神幫助我們克服這些問題，具創意的自省會把

7　Jean-Pierre de Caussade, *The Sacrament of the Present Moment* (San Francisco: HarperCollins, 1982), 17。

我們的問題變成禱告。然而，病態的自省會使我們自大，只專注在自己的錯誤和軟弱中，我們會感到壓力，覺得必須克服所有渴望、積怨和懷疑之後，才能禱告，當然這就表示我們永遠不會禱告。

　　所以，鑒察靈魂可以引領我們更親近神，這其實就是禱告的重點。事實上，鑒察靈魂是一種禱告。如同詩篇的作者，我們必須求神鑒察我們，試煉我們，並且看我們裏面有甚麼惡行沒有。嘉祿富高（Charles de Foucauld）的禱告正表達了鑒察靈魂應當有甚麼成果：

　　　父神，我將自己完全交在你手裏。

　　　任憑你旨意。

　　　不論你會怎麼作，我感謝你。

　　　我已準備好面對一切，我接受一切。

　　　願在我裏面，也在你所有的創造裏，

　　　只成就你的旨意。

　　　我把靈性交在你手裏。

　　　我用心中一切的愛把靈性獻給你。

　　　因為我愛你，主，所以要奉獻自己，

　　　把自己交在你手裏，

　　　沒有保留，卻有無盡的信心，

　　　因為你是我的父。阿們。[8]

---

[8]　引用於 Henri J. M. Nouwen, *Sabbatical Journey* (New York:

然而，禱告不只是自我反省。如果禱告只是自我反省，那麼禱告不過是自我陶醉。畢竟，當我們禱告時，我們應該是向神禱告，而且當我們向神禱告時，我們遲早會向神求某件事。那麼如果我們盡己所能，作了所有具創意的自我反省，還是發現神沉默得奇怪，怎麼辦？如果神不回應我們的禱告，即使我們盡力變得純潔、神聖和良善，怎麼辦？我們應該繼續禱告嗎？

Crossroad, 1998), 4。

1. 讀詩篇一百三十九篇。該詩對於人性有甚麼描述？對於神性呢？

2. 求神鑒察、試煉我們，並看在我們裏面有甚麼惡行沒有，是甚麼意思？

3. 列出你的渴望。渴望會怎麼傷害屬靈生命？

4. 積怨為甚麼這麼容易累積，又這麼難克服？

5. 要原諒別人需要甚麼？原諒別人會有甚麼成果？為甚麼原諒別人這麼重要？

6. 擁有芥菜種般的信心是甚麼意思？如果信心不完全，會是真正的信心嗎？

堅持一生的禱告

第 **6** 章

不斷祈求的勇氣

The Courage to
Keep Asking *

知道在禱告中與神一同得勝的人能掌握天堂和人世。

——司布真
(C. H. Spurgeon)

上神學院的最後一年，我二十四歲，玲德二十五歲，我們已經結婚了三年，決定開始建立家庭，可是有九年的時間我們沒有生下小孩。那些個等待的年歲造成玲德生命裏的危機，遠比我更為嚴重。她非常渴望成為母親，那是在她靈魂裏揮之不去的、痛苦的渴望。

我們接受了治療不孕的酷刑，作了各種嘗試，包括動手術。大家提出各種建議，大多數是類似民俗療法，而不是真正的科學。有些建議很有幫助，多數是可笑的，有些則有害。但是，我們從來沒有放棄擁有親生小孩的希望，雖然我們最後確實開始進行領養的步驟。

我們也每天禱告，即使有一陣子玲德在失望透頂中停止了禱告，因為她覺得神實在太遙遠、太不仁慈。最後，三十四歲時，玲德懷孕並生下凱麗，很快地又接著生下大偉、黛珍和強明。我們最小的孩子出生後，她在每年聖誕節寄出的信中告訴朋友：「如果你一直為神賜給我們孩子而禱告，請停止。你的禱告已經獲得答應了。」

我希望這類故事都能這麼快樂地結束，可是我們都知道並非如此。我們禱告了九年才獲得答應，至少我們的禱告得到了答應。我知道許多夫妻也像我們一樣充滿信心和期待地禱告，甚至可能遠超過我們。如果禱告必須配得答應，他們的禱告似乎像我們的一樣都應當獲得答應，可是他們的禱告沒有得到回答。

134

堅持一生的禱告

甚麼時候應該放棄？

　　我們甚麼時候該放棄、停止要求、不再迫使神答應我們？有時候很明顯。如果有位女子為懷孕禱告，卻開始經歷更年期，就沒有理由繼續禱告。（雖然我們應該記住有些聖經中的人物像撒拉和以利莎伯，在過了生理上能受孕的歲數之後許久才懷孕！）如果夫妻是為生病的孩子禱告，而孩子死了，也沒有繼續禱告的理由，至少不必再為孩子的痊癒禱告。

　　可是有時候不是這麼明顯。沒有確定有如死亡的結局，我們怎麼知道甚麼時候應該停止，甚麼時候應該改變心意，或者甚麼時候應該繼續堅持？禱告是不是有時間限制，像停車計時器，最多三個小時就過期？我們應當在禱告一個月、一年或十年後放棄禱告嗎？

　　玲德和我經常討論這個問題，如果要放棄，我們應該甚麼時候停止為懷孕禱告？我們時常受到放棄的誘惑，可是我們繼續禱告，日復一日，年復一年，從不停止為我們心中的渴望向神求。至少對我來說，這麼作幾乎成為單調無聊的反覆背誦，好像我是電話銷售員，每天說相同的話幾百或幾千遍。我們堅持，是因為沒有理由不這麼作，只是沮喪地感到天堂的門緊緊關閉。有時候我懷疑我們是否一直在觸怒神，使祂在靈裏受到等同於中國式水刑的折磨。

　　所以，我們應該繼續禱告多久呢？禱告大師們對這點一向非常清楚：我們應該堅持禱告，除非我們有理由，也直

到我們有理由不再繼續下去。禱告大師福賽思（P. T. Forsyth）寫道：「只要我們不停止禱告，禱告絕對不會被拒絕，禱告失敗的最大原因是停止禱告。」[1] 早期基督教的監督和作者女撒的貴格利（Gregory of Nyssa）認為堅持禱告是美德。「並且，我們必須堅持禱告，因為禱告就像美德合唱團的指揮。」[2] 十四世紀更新運動的領袖被稱為「現代虔信派」（Devotio Moderna），他們說堅持禱告會使我們對於神確實關心我們產生信心。「我們應該充滿活力地禱告，不輕易停止。我們也不應該想像神不聽我們禱告，即使我們覺得被拒絕，我們反而更應該毫不灰心。」[3] 這裏引用的只是無數強調同樣觀點的人的一些看法。我們要禱告，就要堅持下去。

東正教的傳統帶給我們著名的「耶穌禱詞」，這是個持續禱告的方法，這種禱告是想答覆一個問題：「『不住禱告』

禱告大師福賽思寫道：「只要我們不停止禱告，禱告絕對不會被拒絕，禱告失敗的最大原因是停止禱告。」

[1] P. T. Forsyth, *The Soul of Prayer* (Vancouver, B.C.: Regent College Publishing, 1997), 16。

[2] St. Gregory of Nyssa, *Ascetical Works* (The Fathers of the Church, vol. 58; Washington: Catholic University Press, 1967), 151。

[3] Master Geert, "Noteworthy Sayings,"*Devotio Moderna: Basic Writings* (Classics of Western Spirituality; Mahwah, N.J.: Paulist, 1998), 37。

是甚麼意思？」靈命大師們遍尋聖經，發現了一個禱告詞，他們便用來進行屬靈的操練。每天重複這個禱告許多次，這種操練本身就會使禱告變得和呼吸一樣自然、有節奏。

這個禱告詞簡單而深刻：「耶穌基督，神的兒子啊，憐憫我這個罪人。」真實的禱告應當含括的幾個最基本的重點，都可以在這個禱告中看見：這個禱告指出耶穌是神的兒子，承認我們是罪人，並求神施憐憫。重複這個禱告詞（有些東正教的虔誠信徒一天重複這個禱告可達一萬次）會讓剛開始屬靈生活的人學會不住禱告，這是另一種持續禱告的方法。

充滿希望的結果

我聽說過一些持續禱告帶來美好結果的故事，這些故事足以激勵我繼續禱告，即使在我感到沮喪灰心的時候。一位同事最近告訴我：一個朋友為鄰居的信主，每個星期三禁食禱告了十年，那個鄰居開始去他的教會，最後把自己的生命交給基督。我知道有父母為任性倔強的兒子能恢復信仰禱告了多年，現在他們的兒子全職事奉基督。一位親愛的朋友顯然以幾乎不中斷的禱告，讓她罹患癌症的兒子到目前為止存活了兩年，這位母親完全不接受「不」這否定的回答，連神的否定回答也不接受。

可是，不是所有的禱告都能得到答應，不論我們禱告得多麼熱切、頻繁。婚姻破裂，孩子仍舊任性頑固，鄰居

拒絕基督，學校關門，教會分裂，正在戒酒的人破戒，即使我們為有所改變而持續禱告，失望總是接踵而來。

面對這樣的失望，有些人放棄了——有時是放棄禱告，有時甚至放棄神。他們選擇放棄，他們停止相信、不存希望、不再忍耐，禱告不蒙垂聽使他們離開神。可是，其他人捱過禱告不蒙垂聽的風暴，反而因風暴變得比以前更堅強，猶如一棵樹突懸於常遭風暴的海邊，因為經受嚴酷的天氣而變得更為壯碩。他們成為屬靈生活的大師，是經過磨練的禱告實踐者。

令人驚訝的是，我知道的一些最虔誠、最有果效的禱告大師，都是那些面對禱告不蒙垂聽，有最慘痛經驗的人，但是他們不知怎麼能夠忍耐。他們的失望和失敗迫使他們有更深入的屬靈生活，因為他們的禱告曾經顯得無力，他們學會怎麼更有力地禱告。他們是怎麼回事？是甚麼讓他們繼續下去？

立即見效的結果

我們的文化在這方面對我們沒有幫助。偶爾我會在星期日下午和我兒子一起觀看球賽，我們在廣告時間轉換到別的頻道，有時候我們會偶然看到行銷節目。我一向對於這些節目提出的保證感到好奇，不只因為他們保證的神奇效果（這些效果本身就非常假），更因為這些神奇效果能——也會——實現的速度。

消費者的腰圍能在兩個星期以內縮小四吋，在三十天以內每個月有至少一萬美元的收入，或者只要學習十分鐘就能煮出精美的佳餚。我剛請人在一部分草地上噴灑了水生的種子，我問的第一個問題是：「要多久種子才會發芽？要多久我才能割草？」我要在一個星期內有個漂亮的草坪。

我們的文化要立即見效、立即成功，並且立即得到滿足，可是禱告很少能「立即」有結果，禱告比較像種樹需要時間等待長大，而不像種新草坪一塊一塊鋪上就立刻完成。學習怎麼禱告、要有成熟的禱告、要看見禱告的結果，需要時間，我們不能急急忙忙，樹苗要能長成大樹，需要許久的時間。大眾文化裏常見的缺乏耐心和毅力，使我們的禱告藝術無法成長。

> 學習怎麼禱告、要有成熟的禱告、要看見禱告的結果，需要時間，我們不能急急忙忙，樹苗要能長成大樹，需要許久的時間。

繼續糾纏不休！繼續敲門！

新約聖經對於這點說得很清楚——也令人沮喪。新約聖經沒有解釋為甚麼禱告不蒙垂聽，但是告訴我們要堅持禱告，雖然禱告似乎不見回應。兩個比喻尤其能說明這一點。

耶穌說到一則寡婦的比喻，她顯然受到委屈。日復一

日，她把自己的委屈告訴一個「不懼怕神，也不尊重世人」的法官，起初他冷漠以對，他為甚麼要關心這個寡婦的痛苦？她對他毫不重要，她的冤情也不嚴重，可是主要因為寡婦不斷來找他，不肯接受「不」這否定的回答。他後來終於改變心意，對自己說：「我雖不懼怕神，也不尊重世人，只因這寡婦煩擾我，我就給她申冤吧，免得她常來纏磨我！」

也就是說，寡婦的堅持得到結果，她煩得法官受不了，最後他只為了免去她的煩擾，屈服於她的請求。

耶穌告訴我們這個比喻，不是要說神就像那個不關心、自私的法官，必須要不斷煩擾，才會回應我們的請求。祂說這個比喻，是教導我們要像寡婦那樣堅持懇求，比喻的警語可以輔證這個說法。「你們聽這不義之官所說的話。神的選民晝夜呼籲祂，祂縱然為他們忍了多時，豈不終久給他們申冤嗎？我告訴你們，要快快地給他們申冤了。」

最後耶穌反問祂的聽眾：「然而，人子來的時候，遇得見世上有信德嗎？」（路加福音十八 1～8）。所以，不蒙垂聽的禱告就像信心的試煉。我們即使在禱告不蒙垂聽時感到沮喪失望，如果仍舊繼續禱告，我們就通過試煉。

第二個比喻也說明這一點。這次耶穌把祂的聽眾放進故事裏，強迫他們扮演故事裏的關鍵人物。祂說假設你有客人夜裏很晚時來訪，完全沒有準備的你，發現自己沒有任何食物可以招待他們。你的客人很飢餓，他們是你親愛的朋友，你希望給他們真誠的熱情招待，可是即使要讓他

們進用一頓簡餐，你在家裏也找不到足夠的食物。

　　所以你飛跑過街，跑到一位鄰居家，他有個大家庭，有許多現成的食物。然而，你很緊張，因為你知道你的鄰居容易發怒、不具彈性，你也知道他喜歡早早上床睡覺。你不希望打擾他，但是你的客人的需要超過他的好惡，所以你敲他的門，先輕輕地敲，然後大聲地敲。

　　你聽見二樓窗戶傳來一個聲音。

　　「誰在敲門？」

　　你小聲說：「你住在對街的鄰居！」

　　「你瘋了嗎？都過了半夜了，每個人都睡得很熟；如果你繼續敲門，會把大家吵醒！」

　　「有幾個朋友剛到，我沒有食物給他們吃，我來看你有甚麼沒有。」

　　「你早就應該去買東西！現在你想向我揩油？走開！」

　　你的聲音變得激動，你的輕聲說話變得堅定。

　　「我不知道他們要來，他們半個小時前剛到我家。雜貨店已經關了，如果我不想辦法，他們可能就要走了。聽我說，我需要你的幫助。」

　　「我要回去睡覺，我無法想像你會這麼無禮。」

　　你站在黑暗中考慮幾種選擇。你應該讓客人餓著肚子去睡覺嗎？替他們找個旅館？還是再敲門，即使知道你的鄰居會覺得多麼被冒犯？

　　你決定繼續敲門。

幾分鐘後，你的鄰居打開了大門，他看起來疲倦、憤怒。他勉強讓你進門，不願意說話，用手勢叫你跟著他進入廚房，沉默地打開冰箱和櫥櫃，然後回房睡覺。你搜索櫥櫃和冰箱，找到許多食物。回到家後，等到你的客人解開行囊、梳洗乾淨，你已經準備好一些食物。

比喻的警語再次說明了一切。說到那被激怒的鄰居，耶穌說：「我告訴你們，雖不因他是朋友起來給他，但因他情詞迫切地〔堅持〕直求，就必起來照他所需用的給他。」然後耶穌用一個命令總結這個比喻：「你們祈求，就給你們；尋找，就尋見；叩門，就給你們開門」（路加福音十一5～9）。

因此，耶穌兩次告訴我們：要堅持禱告，不管要經過多久的時間才能獲得回應。

我理性的心思拒絕這樣的觀點。我心中這麼想，堅持禱告好像在神面前搖尾乞憐，或者像在向神嘮叨，神就變成一個吝嗇的祖父，必須被糾纏才願意給他孫子自己口袋裏深藏的一顆薄荷糖。我們為甚麼必須不斷向神求祂知道我們需要的東西？反正如果我們不需要，再堅持也不能說服神把我們不需要的東西給我們。如果我們需要，我們必須先求，就很奇怪。這麼作似乎浪費時間和精力，更糟的是，這麼作似乎讓神變得負面。

甚麼樣的神會拒絕回應禱告，直到祂被迫，或者除非祂被迫必須回應？身為家長，我幾乎每天都提醒自己：不要經不起孩子的壓力，因為如果我屈服，會讓他們變成喜

歡哀求、嘮叨。神希望我們變成這樣嗎？

堅持驅使我們親近神

　　但是，堅持禱告也許有很好的理由，可以對我們產生正面的影響。首先，堅持會一再驅使我們親近神，也就強化了我們和神的關係。畢竟禱告的目的是要有親密關係，不是我們要從這關係裏得到東西。誰會尊敬一個只因為能用父親的車才尊重他父親的兒子？我們會說他自私。我們只會尊敬一種兒子，他會把自己能使用父親的車當作父親的慷慨大方，並且他也因此深愛父親。

> 堅持禱告會一再驅使我們親近神，也就強化了我們和神的關係。畢竟禱告的目的是要有親密關係，不是我們要從這關係裏得到東西。

　　我正在養育三個青少年。我的女兒凱麗今年十九歲，剛上完大學一年級，在去年一年中有很大的改變。我還記得自己在她的青少年時期感到的憤怒，她似乎只是把我當作是錢、車輪和食物的來源。我不確定那時她認為我是個有血有肉的人，是個值得談談、聽聽和享受彼此陪伴的人。我們現在的關係正是如此——一個親密的關係。我們一起去喝咖啡，談太陽底下的一切事，也彼此欣賞。她不再向我要東西——至少比她從前少要許多。我不再只是她想要的東西的來源，我是個值得認識的人。

堅持能使我們和神的關係更豐盛。我必須承認：不蒙垂聽的禱告消滅信心和希望，我們質疑神的良善、愛和慷慨，我們也懷疑神是否能夠或願意滿足我們的需要。如果我們以自己的方式求時神不供應，那麼究竟為甚麼要禱告？祂真如我們所想的那麼良善嗎？

可是，問題在於我們把神看作我們想要的東西的來源，神像部販賣機，如果我們存入了足夠的禱告，就應該吐出我們像要的東西。

禱告的目的是要得到我們所求的嗎？嗯，答案既是肯定的，也是否定的。神希望回應我們的禱告，可是神也希望我們認識祂。我們能夠認識神，就是神對於禱告的最好回應（我們稍後會看到這點）。堅持帶來比較成熟的禱告生活，我們會開始把神看作值得我們付出最深的愛和情感的對象，我們禱告的目的是培養和神親密的關係，而不只是想從神那裏獲得我們想要的東西。我們會停止一直喋喋不休，我們會學習傾聽，我們會開始照著神的本相來享受神。正如富司迪所寫：「我們對於禱告最大的誤解，是認為禱告主要是我們向神說話，然而禱告最好的部分其實是

富司迪說：「我們對於禱告最大的誤解，是認為禱告主要是我們向神說話，然而禱告最好的部分其實是我們聆聽神。」。

我們聆聽神。」[4] 總之，堅持有助於我們的靈性成長。

我逐漸了解自己天然的傾向是利用神，而不是愛神。我像個屬靈上的吸毒者，希望得到答應的禱告能提供迅速的解脫，但是一旦我得到所求，就故態復萌，回到原先屬靈怠惰的狀況。不蒙垂聽的禱告事實上可以搧熱靈裏的渴望之火，使我們渴望認識神，並把這個渴望當作生命至高的目的。

如果禱告的回應來得太容易，我們會失去興趣，不只失去禱告的興趣，也失去對神的興趣。

我喜歡約翰・屈梭多模寫的有關不蒙垂聽的禱告的益處：

> 我為許多事禱告，但不被垂聽。即使這樣的事發生也經常是對你有益的，因為〔神〕知道你失去誠心，變得懶惰，當你得到所需就離開，不再禱告。神用需要來保守你，使你和祂更親近，也能專心禱告。[5]

如果禱告的回應來得太容易，我們會失去興趣，不只失去

---

[4] Harry Emerson Fosdick, *The Meaning of Prayer* (New York: Association Press, 1915), 66。

[5] John Chrysostom, *On Repentence and Almsgiving* (The Fathers of the Church, vol. 96; Washington: Catholic Univ. Press, 1998), 37。

禱告的興趣，也失去對神的興趣。

滌罪和淨化

堅持也洗滌我們的罪，並淨化我們。禱告不蒙垂聽可能迫使我們改變怎麼禱告，雖然我們仍然繼續禱告。我們的持續禱告使我們不會放棄，反而使我們比從前更接近神希望我們能得到的。

有些人經年累月堅持向神祈求同一件事——父母的信仰、教會的成長、家庭不睦的改善。最後他們的禱告獲得結果，他們得到他們所祈求的。

另一些人經年累月堅持禱告，但從未獲得結果。他們不放棄，反而改變他們禱告的方式，開始求神幫助他們愛一個不回到信仰裏的孩子，原諒一個不願意和解的配偶，保持對一個衰退教會的忠心。

使徒保羅是個好例子。有件事保羅稱之為「肉體中的刺」。他並沒有告訴我們那究竟是甚麼事——也許是視力差、猶太人的反對，或者他擺脫不掉的某個誘惑。我們無從得知。他提到那件事時用非常嚴重的語氣，對他而言那是「撒但的差役」、折磨的來源，是個天譴。

保羅三次求神解除這個問題，可是神不答應他的禱告，所以保羅改變禱告的方式，他求神幫助他倚靠神的大能，神的能力在保羅的軟弱中會顯得完全。「所以，我更喜歡誇自己的軟弱，好叫基督的能力覆庇我。我為基督的緣

故，就以軟弱、凌辱、急難、逼迫、困苦為可喜樂的；因我甚麼時候軟弱，甚麼時候就剛強了」（哥林多後書十二 9～10）。

就在一年多以前，我任教的學院失去了一位最受大家喜愛的教授龔豪文（Howard Gage），他死於帕金森病的併發症。死前幾個月，龔豪文在學院的教堂演講，他用保羅肉體上的刺這個故事，來說自己的故事，他像保羅一樣，希望解除自己的痛苦，便為此禱告，可是神不回應他的禱告。

於是，龔豪文必須學習忍受疾病。在教堂中，他回想罹患帕金森症所面對的苦難，他必須倚靠醫藥，使生活變成忽高忽低，好像坐雲霄飛車。如他所述：「我太太說：我因吃藥而情緒高漲時，我的動作好像能一跳就跳過一棟大樓；當藥物讓我情緒低落時，我的動作好像連走出一個電話亭來看大樓都不能。」他和僵硬、動作不協調、缺乏安全感以及沮喪搏鬥，他的情緒擺盪，奇怪的行為讓他和別人在一起時感到不安，因為他認為——有時候是正確的——別人和他在一起會覺得不安。

雖然龔豪文從未停止禱告，經過一段時間後，他確實開始用不同的方式禱告。他不再祈求能克服自己的軟弱，反而專注於神的良善和能力，神的能力在他的軟弱中顯得完全。他開始深刻了解神對他生命的供應。「藥物不起作用的日子裏，主必須賜給我許多恩典。在那些時候，基督與我同在。」

龔豪文知道神賜給他的禮物——他結褵三十八年的忠

貞、充滿愛的妻子，穩定的財務狀況，自己喜愛的工作，以及許多忠心的朋友，但是龔豪文也是神賜給我們的禮物。他成為學院努力以赴的使命的重心、是激勵每個人的源頭，尤其對於新教師有很大的鼓舞，也是神在校園裏顯明祂的愛的榜樣。

在龔豪文追思會中，擠滿了學校的教員、學生和校友，有個講員只請在龔豪文去世之前的兩個星期中，記得和他有過深具意義會晤的人站起來，令人驚訝的人數——多達一百五十人——站了起來，對於一個從不停止禱告的人，這是很合適的尊崇，雖然他的禱告沒有按照他所希望的得到回應。

龔豪文的疾病沒有讓他停止禱告，他反而學會更深刻、坦誠和耐心地禱告，他遵循了盧雲（Henri Nouwen）的建議：「你必須有耐心……，直到你的雙手完全敞開。」[6]

堅持與神同工

堅持還可以成就一件事。我們已經知道堅持可以改變我們，可是堅持也可以與神同工。堅持禱告的人可以向神懇求，因此影響歷史的進程。

克里威廉（William Carey）是前往印度宣教的先鋒，為

6　Henri Nouwen, *With Open Hands* (New York: Baltimore Books, 1987), 7＝盧雲著，徐麗娟譯，《親愛主，牽我手——認識禱告真義》（香港：基道，1991），8。

了推動基督教信仰的進程，冒了無法言喻的危險。他作任
何事都先禱告，他相信禱告不只是虔誠的操練，不只能改
變禱告的人，他相信禱告能改變歷史。「沒有神，我們不能；
沒有我們，神不願意。」在他心中，「我們」不只是指基督
徒作的事，也包括基督徒在神面前的禱告。

　　傅士德（Richard Foster）在他受歡迎的著作《屬靈操練
禮讚》（*Celebration of Discipline*）中寫道：「我們是與神同
工來決定未來！如果我們正確地禱告，某些事會在歷史中
發生。我們是要用禱告來改變世界。」[7] 當我們禱告時，不
僅是用口說話，好像我們只不過是和自己說話，我們是在
和偉大的神說話！我們是求祂為了某人的福祉而介入，我
們是要求祂作些改變歷史進程的事。如果我們禱告，歷史
會有一種結果，如果我們不禱告，歷史會有另一種結果。
這似乎太狂野、太奇妙，不可能是真的，好像一個喜歡誇
大的孩子說的一個充滿想像的故事。

　　如果神會回應我們的禱告，祂為甚麼要花這麼多時間
才回應我們的禱告，則是另一個完全不同的問題，那是個
謎。然而，因為某種原因，堅持是必須的。神需要被煩擾
嗎？我很懷疑。也許我們需要煩擾祂──是為我們自己的緣
故。堅持闡明我們的心思，強化我們的決心，也加深我們
對於真正重要的事物的渴望。

---

[7]　Richard Foster, *Celebration of Discipline* (San Francisco: Harper
　　SanFrancisco, 1978), 35＝傅士德著，周天和譯，《屬靈操練禮讚》
　　（香港：基督徒學生福音團契，1982），37。

我的孩子多年來向我要求了許多事物——我所知道的有光碟機、自行車、船、車子、房子、具異國風味的度假（紐西蘭是最新的要求）、月亮……。你說得出的他們都要求過。大多數的時候我忽視他們的要求，這時我像個鐵石心腸的家長，是花崗石作的。然而，當他們堅持的時候，我的耳朵豎起，因為堅持通常表示他們對某事很重視，他們想過，也檢查過自己的動機，他們有很好的理由，謹慎地向我表達。「爸，我知道一輛新的自行車很貴，可是我的舊車太小了，而且我也越來越需要騎車。我真的覺得必須再買一輛大的。」這樣的堅持對我是很有說服力的。

神邀請我們，來協助祂塑造歷史的進程（我們會再討論這個主題），也許從一開始，當祂告訴亞當和夏娃「要管理一切」時，那就是祂心中的想法。大多數的時候，我們運用支配管轄權並不加深思，我們只是活著、愛人及工作，很少注意我們對於廣大世界的影響，可是儘管如此，我們的影響並不稍減。無論我們要或不要，我們都在世界上留下痕跡，我們只是過活就能影響歷史，雖然我們的影響常平凡無奇得幾乎毫不起眼。我們的行動會造成影響，不論我們作甚麼。

我們怎麼禱告或不禱告，也塑造歷史的進程。堅持禱告會造成影響，因為禱告邀請神——或者更應該說要求神——作出重要的事，我們也就像那個不斷向無情的法官叨念的寡婦，或者那個半夜不斷敲他鄰居門的朋友。

因此，我們必須持續禱告。如果我們的孩子剛愎任性，

我們必須為他們的從遠處回頭禱告。只要有不公不義的事，我們就必須為公義禱告。當我們面對衝突，我們必須為和解不停禱告。雖然不蒙垂聽的禱告會誘惑我們放棄，我們必須繼續禱告，拒絕放棄。我不知道為甚麼必須這麼作，可是因為某種緣故，堅持最終會得到結果。

神的堅持

　　這麼作會有結果，也許因為這是模仿神自己的堅持——袖對我們而堅持。在過去或者將來，都沒有任何嘮叨的母親、哀哭的孩子、逼得人透不過氣來的主管、嚴格要求的鋼琴老師，或者霸道的教練，會和神一樣堅持。自從亞當和夏娃墮落以來，神一直在追求人類——始終不渝地追求。袖要和我們建立關係，雖然經常被拒斥，袖不斷追求我們，像個不接受暗示的追求者。如果有甚麼人不能接受「不」這個否定的回答，那就是神。

　　舊約聖經述說了一個很長的故事，有關以色列人的不忠和神的堅持。雖然是神把以色列人從埃及的奴役中解救出來，他們卻在漂流曠野時棄絕了神，去崇拜一個金牛犢。進入應許之地後，雖然是神為他們取得那塊地，他們卻把自己獻給外邦的神。當他們擴張疆界、征服其他國家時，雖然是神豐盛地供應他們，他們卻累積財富、追求享樂，也剝削俘虜。

　　神從不放棄，袖警告他們，勸說他們，像個保護孩子

的父母，只要能不讓任性的孩子走到絕境，甚麼事都願意作。祂降下疫病來責罰他們，派遣外國軍隊來懲罰他們，派出先知來求他們回轉向祂。祂總是歡迎他們回頭，不管他們不忠了多少次（雖然祂管教他們時也毫不遲疑）。祂重視自己與以色列人的關係，遠超過以色列人重視與祂的關係，祂是那拒絕放棄的單戀的戀人。

　　祂也那樣對待我們。在神的眼裏，似乎祂能與我們建立的任何關係都比完全沒有關係好，不論那個關係顯得多麼艱難、混亂。舊約聖經中一個人物的故事證明了這一點。雅各是我喜歡的人物之一，如果有英雄的話，他絕對不是英雄。他狡猾、自私、喜歡操控別人，他也是個詭詐的陰謀家，能夠和黑社會老大一爭長短。他兩次欺騙自己的哥哥以掃──第一次騙他賣出自己在家庭中的長子權利，然後使他失去父親的祝福。如果有人想欺騙雅各，他卻會盡量爭得公平，並且還要多得一點。

　　令人驚異的是，舊約聖經和新約聖經都沒有說他沒有道德，他只是被稱為信心的榜樣，有件事說明為甚麼會如此。在外國居住了許多年，雅各決定回家，那時他很富有，也很強大，所以他帶著兩個妻子、許多孩子、牛、羊、駱駝和驢同行，並打包了他的財物，準備進行返回家鄉的長途旅程。

　　但是，他很害怕，因為他知道必須面對自己的哥哥以掃，即使經過這麼多年，他還是沒有和哥哥和解。為了取悅以掃──或者是為了賄賂他──雅各打發幾隊的財物走

在他前面，當作送給以掃的禮物，然後他打發自己的妻子和兒子先走，自己最後走，希望當以掃看見自己的時候，以掃的怒氣會因為看到這些財富而緩和。

他必須在見以掃之前獨自住宿一晚，那是他生命的轉捩點。那晚，某個神聖的人物出現並——聽起來很奇怪——開始和雅各摔跤。為甚麼會這樣我們不知道，經文裏沒有說明理由。他們纏鬥了大半夜，因為雅各拒絕被打敗，他固執得像個小弟弟拒絕喊「伯伯、叔叔」。

那個神聖的人物最後使雅各的大腿脫了臼才得勝，雅各從此就跛了，然後他給雅各取了個新的名字「以色列」。這個名字很奇特，也不太具有稱讚的意味，但是這個名字反應了神重視的一個特質，字面的意思是：「和神搏鬥的人」。雅各是個戰士，所以這就成為他的名字，不僅成為他的名字，也永遠成為神的選民的名字。

這是神希望在我們身上找到的特質。祂希望我們和祂搏鬥，如同祂和我們搏鬥。要像性命攸關似的和祂摔跤，因為那可能真是攸關生死的。要堅持禱告，不論面對多麼艱難的逆境。要拒絕接受從神而來的「不」這個否定的回答，就像神拒絕我們給祂「不」這個回答，不管我們必須抗拒祂多久，或必須多麼努力地抗拒祂。我們至少應該這麼作，因為神為我們作的一切需要愛，也需要禱告。

堅持是回應不被答應的禱告的好方法，事實上，堅持表達的是：「神，你可能選擇不答應我的禱告，可是我還是要繼續禱告，即使你會聽得厭煩。」

然而，我們仍然應該想一想我們所祈求的事物。畢竟，我們不希望堅持求一些明顯與神的旨意和計畫相反的事物。我們要怎麼才能有智慧、具信心地禱告，使我們的禱告是經過安靜的深思，而不是像玩比手畫腳遊戲時的大聲亂猜？我們必須堅持禱告，這點是清楚了，可是我們究竟應該堅持禱告甚麼呢？

Questions
for
Discussion

1. 你曾經在甚麼時候堅持禱告過？結果如何？

2. 你曾經放棄為甚麼事禱告嗎？為甚麼？

3. 你怎麼了解這章探討的兩個聖經比喻？

4. 有哪些堅持禱告的理由？你覺得這些理由令人信服嗎？為甚麼令人或不令人信服？

5. 對於以雅各為信心的榜樣，你有甚麼想法？敘述你和神搏鬥的一個或兩個經驗。

6. 說神一直堅持、不放棄我們，有甚麼重要的意義？你從自己的生命中看見甚麼類似的證據嗎？

堅持一生的禱告

第 7 章

照著神的旨意禱告

Parying According to
God's will

禱告時，我們必須把眼睛專注在神身上，
而不是專注在困難上。

——章伯斯
(Oswald Chambers)

幾年以前，我正在為寫作一本關於宗教和第二次世界大戰的書尋找資料，決定藉著那些報導這場大戰的人的經驗，重新經歷這場戰爭，我要努力像第一次經歷這場戰爭似的重新經歷一次。我選出幾本雜誌和幾份報紙，就像活在當時的人那樣想要知道最新消息似的，讀這些雜誌和報紙。我從一九三九年九月開始，讀到一九四五年八月。我變成當時的人、一個目擊者、一個像那時的其他人一樣的平民，非常關心那些重大事件。

這種研究方法對於我產生很大的影響，是我事先未曾預料的。當然，我已經知道會發生甚麼事，我活著的時代距離當時已經超過五十年之久。我知道珍珠港事件，原子彈炸平了廣島和長崎，以及針對猶太人的大屠殺，但是我的想像力非常豐富，當我讀著當時的這些報導時，我就進入逐漸展開的故事中，這使我感到非常不安和懼怕。

例如 1941 年十二月七日接近時，我感到驚慌，那天日本人轟炸了珍珠港。我想給誰打電話，警告他們即將到來的災難。同樣的事情發生在美國人扔下原子彈之前的幾個星期，我想勸告日本人投降，就可以免去即將來襲的災禍。我覺得完全無助，不能作任何事。那些報導裡面正醞釀迫近的未來，在我閱讀時已經成為過去，至少對我而言是如此。我陷在扭曲的時間中。

然而，我覺得最無助的是讀到大屠殺時。我讀到最早可見於一九四二年，有關「死亡集中營」和「最後的解決

之道」的簡短報導。這樣的觀點似乎荒謬乖戾得好像少有人會認真看待，接下來的幾年這類報導的頻率增加，警覺和關切的程度當然也因此升高。

大多數人覺得無法輕易相信，他們駁斥這類報導，認為是宣傳，就像第一次世界大戰傳出關於德國人殘忍的報導，後來證實是虛構的。一個文明國家像德國——也應該是基督教國家——會想要滅絕一整個人種，實在令人難以想像。最後同盟國的軍隊掃蕩進入德國，解放了那些集中營，殘殺的報導慢慢洩露出來，屍體堆積如山的相片出現在報紙上，大眾驚恐至極。猶如一位編輯所說：「所以，這終究是真的！」

像大多數人一樣，我幾乎甚麼都願意奉獻，只要能改變歷史的進程，使珍珠港事件、原子彈轟炸和大屠殺都不曾發生。根據我現在所知道的歷史，我會催促美國不要等到 1941 年才加入戰爭，我會建議更積極關心猶太人的福祉。因為我知道事件會有甚麼結果，我會鼓吹這些行動，可是我無法改變已經發生的事。已經的發生的事已經成為過去，所以雖然我幾乎直接見證了戰爭，卻是個無助的旁觀者，甚麼事都無法改變，甚至不能拯救一條性命。

影響未來

歷史處理過去，但禱告處理未來。我們知道過去已經發生了甚麼事，雖然我們無法加以改變。我們還不知道未來會

發生甚麼事，然而我們卻可以加以影響。藉著我們的禱告，我們可以塑造未來，也就因此締造出有一天會被我們視為過去的歷史。

　　正因為這個緣故，禱告使我緊張。我不知道應該怎麼禱告，因為我相信自己的禱告會造成影響。我想作大膽的要求，可是我猶豫不決，因為我不想作錯誤、愚蠢或放肆的禱告。我認為禱告有力量，禱告可以改變歷史的進程，但是我非常謹慎地使用這個力量，惟恐自己濫用了這個力量，神就會把這力量收回。禱告不是件可以輕鬆對待的事，而應該像處理炸彈似的謹慎以對。

> 藉著我們的禱告，我們可以塑造未來，也就因此締造出有一天會被我們視為過去的歷史。

　　新約聖經並沒有犯下過於謹慎的錯誤，其中有許多關於禱告的偉大應許，這些應許清晰、直接得像重要戰役中軍官下達的命令：

- 「你們奉我的名無論求甚麼，我必成就，叫父因兒子得榮耀。你們若奉我名求甚麼，我必成就」（約翰福音十四 13～14）。
- 「你們若常在我裏面，我的話也常在你們裏面，凡你們所願意的，祈求，就給你們成就」（約翰福音十五 7）。
- 「到那日，你們甚麼也就不問我了。我實實在在地告訴你

們，你們若向父求甚麼，祂必因我的名賜給你們。向來你們沒有奉我的名求甚麼，如今你們求，就必得著，叫你們的喜樂可以滿足」（約翰福音十六23～24）。

照著神的旨意

可是，應許裏有個附加的條件，我們大多數人都知道是甚麼條件，如果不是有意識地知道，就是直覺地知道。我們知道不能向神求所有的事，我們必須合理地請求。簡而言之，我們必須照著神的旨意禱告。如果禱告是張空白支票，我們必須有兩個簽字才能兌現這張支票，一個是我們自己的簽字，另一個是神的簽字。神自己必須簽字同意我們的要求，祂必須作最後的認可。

這聽起來很簡單，可是「照著神的旨意」禱告究竟是甚麼意思？從一個層面來看，這似乎顯而易見。只要稍微想一下，我很容易就能列出一長串值得神注意的要求。如果我是神，至少在回應這些要求之前，我不必多加思考！這聽起來很隨便輕浮，我知道，但是當我們為某件似乎正確、良善和真實的事央求神時，誰沒有過這樣的想法？神怎麼會不讓面對問題的鄰居改變信仰，讓上癮的朋友獲得解救，或者讓破裂的關係得到恢復？對我來說，這好像是不必多想的。

然而，任何為這些事禱告過的人都可以見證，結果並不總是按照我們的計劃和禱告。這使我疑惑：照著神的旨

意禱告究竟是甚麼意思？[1]

即使偉大的聖人也苦思過這個問題，知道這一點使我覺得舒服一些。且舉馬丁路德（Martin Luther）為例。路德在一座修道院裏住了許多年，當他離開修道院和羅馬教會時，仍然未婚。他有太多責任，置身的環境也太危險，不能考慮結婚。但是，當他決定和從前是修女的凱薩琳·范波拉（Katharina von Bora）結婚時，他讓每個人都感到驚訝。當時他四十歲，凱薩琳二十六歲，他們在一起生了六個孩子。

其中一個女兒馬妲琳（Magdalene）是路德特別喜愛的。1542 年九月，他們這位當年十三歲的女兒生了病，路德全心照顧她，也為她的康復禱告，可是她的病只是更加沉重。害怕和慌了手腳的路德不知道應該怎麼禱告。他確知自己的願望，可是不確定神的心意如何。希望和渴望告訴他：他自己的願望和神的心意是相同的，但他仍然禱告說：「我非常愛她，可是如果帶走她是你的心意，親愛的神，我會很高興知道她是與你同在。」

馬妲琳——性命垂危地——躺在床上，他對她說：「馬妲琳，我的小女兒，你會很高興留在這裏，和你父親我在

堅持一生的禱告

---

[1] 在另一本書中，我比較詳盡地探討了信徒與神的旨意（已經顯明的旨意與隱密的旨意）之間的關係這個問題，見：傑瑞·席哲著，劉美津譯，《堅持一生的道路》（So. Pasadena：美國麥種傳道會）＝ *The Will of God as a Way of Life*（Grand Rapids: Zondervan, 2002）。

一起，你也願意去和你天上的父親在一起嗎？」

她回答：「願意，親愛的父親，我願意遵照神的旨意。」

路德非常痛苦，身為馬妲琳在地上的父親，他的願望使他無法了解作為她天上父親的神的旨意。他說：「心靈願意，肉體卻軟弱。我非常愛她。……在過去一千年中，神沒有給任何主教這麼奇妙的禮物，像祂所賜給我的。我對自己很生氣，因為自己不能發自心底地感到高興並感謝神，雖然有時候我會唱一小段聖詩並感謝神。不論我們是活著還是死去，我們都屬於主。」[2]

女兒即將去世時，他跪在她床前，一邊悲痛地哭泣，一邊向神禱告說如果合神心意，就求神拯救她。一會兒之後，她死在他懷裏。

神顯明的旨意

路德後來一直沒有真正解決這個問題，我們其他人也沒有。神的心意是甚麼？我們怎麼知道？基督教對於這點一向作了個區分，那就是神顯明的旨意和神隱藏的旨意。[3] 神顯明的旨意是指神在聖經中清楚向我們說的。神主動告訴我們祂的旨意，祂的旨意也不難明白。我如果要我的孩子

[2] Martin Luther, *Letters of Spiritual Concern* (Library of Christian Classics, vol. 18; Philadelphia: Westminster, 1955)。

[3] Joseph F. Power, ed., *Francis de Sales: Finding God Wherever You Are* (New York: New City Press, 1993), 110-46。

作某件事，會清楚讓他們知道。我指派他們作家事，通常是某些特定的家事，並且告訴他們甚麼時候必須作好。「請在吃晚飯以前用吸塵器把客廳吸乾淨。」「太陽下山以前用除草機把草坪割好。」「把洗好的衣服折好，要趕快作好。」

神的話同樣清楚。加爾文相信如果我們的禱告要有力量，就必須先了解神是誰和神有甚麼計劃。因此，我們必須讀聖經，才能了解神的心，然後我們才能按照神的心意禱告，否則我們是在無知中禱告。「我們必須在祂裏面尋求，並在禱告中向祂祈求，祈求我們在祂裏面所學習到的。」[4] 神沒有讓我們毫無頭緒，祂把我們必須知道的事告訴我們。

然而，我還是懷疑：是否真的如此簡單。如果有了問題，我不確定是否由於我們不認識神的旨意（至少我們不會完全不知道）。那也可能是因為我們缺乏勇氣和決心。我們真的想要知道神的旨意嗎？這個問題使我坐立不安。我可能已經有足夠的知識，我知道，可是我並不一定相信或照著作。我希望生活美好、安全、有保障，但是如同路易斯所言，神不希望我們的生活美好，因為祂希望我們能更新，這就是祂的旨意。我們禱告時，應該把神的這個目的記在心上。[5] 這就完全足以讓我對於禱告多加深思。

---

[4]　John Calvin, *Institutes of the Christian Religions* (Philadelphia: Westminster, 1960), 850＝加爾文著，徐慶譽、謝秉德譯，《基督教要義》，中冊（香港：基督教文藝出版社，[4]1987），273。

[5]　C. S. Lewis, *Mere Christianity* (New York: Macmillan, 1943), 182

我比從前更加謹慎地禱告，如果沒有更加謹慎，那麼至少更加嚴肅。我知道自己禱告的目的。我努力用嶄新的視野來讀新約聖經，我問神的旨意是甚麼？然後我努力按照神的旨意禱告。在經文中，我尋找有關神在我們生命裏和世界上眞正想要完成的目的。神的許多目的和我們的文化以及我個人所重視的正好相反。

新約聖經激進得令人害怕，裏面說到要與人和睦、忍受迫害、爲敵人禱告、在靈裏保持貧窮、向自己死，並且把自己當作活祭獻給神。耶穌教導我們說：我們如果要成爲祂的門徒，就必須捨己，背起我們的十字架，來跟隨祂。

或許使徒保羅說得最好：

> 所以弟兄們，我以神的慈悲勸你們，將身體獻上，當作活祭，是聖潔的，是神所喜悅的；你們如此事奉乃是理所當然的。不要效法這個世界，只要心意更新而變化，叫你們察驗何為神的善良、純全、可喜悅的旨意。
>
> ——羅馬書十二 1～2

這就是神的旨意嗎？我們就應該爲這禱告嗎？這麼想讓我不寒而慄。

＝《基督教信仰正解》/《如此基督教》，165＝《返璞歸眞》，172-73。

苦難是神的旨意嗎？

　　我們怎麼看待苦難？神的旨意甚至包括苦難嗎？我以前對於這樣的想法很氣餒，覺得與神不相稱，認為苦難和神的旨意是完全相反的，猶如油和水正好相反一樣。我認為就某種程度而言，兩者是相反的，神不會為了苦難本身而製造苦難，祂不會為人類的痛苦而歡喜，好像祂是個把針刺入玩偶的虐待狂。

　　這個問題對我而言，不僅是學術上的問題。自從十一年前發生意外後，我花了許多時間苦思這個問題。有很長一段時間，我無法想像那個意外在任何程度上會是、或者可能會是神的旨意，這樣的想法令我感到非常厭惡。

　　可是現在我不那麼確定了。經過這麼多年，我經歷到意外事件結出的果效，我看見神在我、我孩子和許多其他人身上成就的事。雖然苦難很難忍受，效果卻是好的。雖然那場意外和神為我們的生活所作的美善計劃相衝突（母親和孩子不應該這樣從家庭中被奪走！），但仍然能夠成就神的旨意，神多半是藉著這場意外來改變我們，並且不只是改變我們，也改變數以千計的其他人。我確知神使用這場意外來改變我自己的生命，我現在比從前更有耐心，尤其是在家裏。我對於自己的時間更具彈性，對於自己的資源更慷慨大方，面對動盪更能冷靜。

　　總之，苦難對我有益，雖然我不會選擇遭受苦難，當時不會，即使現在恐怕也不會。我不確定我們是否應該祈

求能經歷苦難。苦難會發生，就如生死般是無法避免的，每個人遲早都會面對，不論你剛好多麼有錢有勢。但是，我確實認為：我們應該為苦難可能造成的美好效果而禱告，這一切都是因為神的恩典。如果不必經歷苦難，那很好；如果不然，那麼就讓苦難降臨。我們再來看看使徒保羅，當神選擇不除去他肉體中的刺時，他寫道：「我為基督的緣故，就以軟弱、凌

我不確定我們是否應該祈求能經歷苦難。但是，我確實認為：我們應該為苦難可能造成的美好效果而禱告。

辱、急難、逼迫、困苦為可喜樂的；因我甚麼時候軟弱，甚麼時候就剛強了」（哥林多後書十二 10）。

對於神的旨意的這種看法，使禱告變成充滿危險的冒險，可能讓我們在禱告時更加矛盾。即使耶穌也至少在一個情況下，感到矛盾，那是在被釘在十字架上之前。祂獨自一人，最後一次這樣單獨自處。祂希望挽救自己的性命，可是祂知道祂天父的旨意是要奪去祂的性命。

祂的心意和祂天父的旨意，兩者之間的衝突和緊張使祂難以承受，祂在客西馬尼求神免除祂即將面對的命運。有其他方法嗎？「父啊！你若願意，就把這杯撤去。」但是，祂知道祂天父的旨意最重要，最後祂降服於天父的旨意：「然而，不要成就我的意思，只要成就你的意思」（路加福音二十二 42）。耶穌離開那個園子時，祂已經準備好要

面對等待著祂的恐怖命運，祂已經拋開自己的心意，降服於天父的旨意。實際上，祂是說：「我在這裏，任由你塑造，任憑你處置，任憑你讓我接受你想讓我接受的任何試煉或挑戰，我是你的。」

用經文禱告

　　我們是否想要知道神的旨意——並照著神的旨意來禱告——是一回事，我們實際上怎麼知道神的旨意又是完全不同的另一回事，後者更容易明白。我們可以經由經文來了解神顯明的旨意，我們也可以藉研讀和引用經文中美好的禱告，來按照神的旨意禱告。舊約聖經中有許多這樣的禱告（哈拿的禱告、以斯帖的禱告、亞伯拉罕的禱告），新約聖經中也有許多。這些禱告值得向神背誦，如此一來，當我們禱告時，就能確信自己是按照神的旨意禱告。

　　我已經反覆誦讀這些禱告許多遍，對於禱告中沒有提到的感到訝異。禱告中沒有提到長壽、完全健康，或者世俗認可的成功——簡而言之，甚至沒有一點暗示說希望在世上有理想的生活，不會發生任何問題和麻煩。反之，這些禱告求神讓他們更能深刻經歷祂的愛，能有聖潔的生活，內心能夠剛強，也有智慧作正確的選擇。

　　譬如，使徒保羅寫了幾段美麗的禱告詞，讓我們得知怎麼按照神顯明的旨意禱告。我想到兩段。在腓立比的教會是保羅喜愛的教會之一，他只在那裏停留了一小段時

間，就被反對他的人驅逐出境。他留下剛成立幾個月、初具雛形的教會，但是那些初信者在信心中忍耐，有極大的喜樂，並且在貧窮中仍捐獻幫助住在耶路撒冷的基督徒。下面是保羅為他們所獻上的禱告：

> 我所禱告的，就是要你們的愛心，在知識和各樣見識上多而又多，使你們能分別是非，作誠實無過的人，直到基督的日子。並靠著耶穌基督結滿了仁義的果子，叫榮耀稱讚歸與神。
>
> ——腓立比書一9～11

在以弗所的教會也面對困苦，保羅在那裏待了將近三年。他的禱告再度反映出他對他們的期望，他相信那是神對他們的心意。

> 求祂按著祂豐盛的榮耀，藉著祂的靈，叫你們心裏力量剛強起來，使基督因你們的信住在你們心裏，叫你們的愛心有根有基，能以和眾聖徒一同明白基督的愛是何等長闊高深，並知道這愛是過於人所能測度的，便叫神一切所充滿的，充滿了你們。
>
> ——以弗所書三16～19

神隱藏的旨意

然而，神的旨意還有另一個層面。神的旨意不僅是顯明的，也是隱藏的。不像神顯明的旨意可以藉由經文得知，神隱藏的旨意不可解，也莫測高深，其中含有神控制歷史的至高無上主權，歷史由他引導到一個未知、但榮耀的結局。神知道，因為祂超越時空，我們不知道，因為我們受時空的限制。神當下經歷所有時間，祂同時住在一切空間。神在萬物之上，祂掌控一切。[6]

每件事的發生不知怎麼都完成祂最終的旨意——這樣的觀念確實很難理解和接受。歷史上發生的許多事似乎和良善的神所希望達到的正好相反，「隱藏的旨意」似乎非常令人嫌惡、討厭。哈列斯比（O. Hallesby）寫了一本有關禱告的佳作，如他在那本書中所宣稱的：「沒有甚麼事比神那不可測度的作為，更容易成為我們的絆腳石。」[7]

舊約聖經裏，約瑟的故事說明了神顯明的旨意和神隱藏的旨意的區別。雖然這個故事有個快樂的結局，我們不應該讓結局的快樂使我們忽視這個故事裏充滿的艱辛和勇氣。發生在約瑟身上的事，顯然違反神的旨意，並且事實上是違背神顯明的旨意所直接造成的結果。

---

[6]　見詩篇九十與一三九篇。

[7]　O. Hallesby, *Prayer* (Minneapolis: Augsburg, 1994), 24＝哈列斯比著，顏路裔譯，《禱告》，新版二版（香港：道聲，1993），21。

　　因爲嫉妒，約瑟的兄長出賣了他，把他賣給一隊前往埃及的商人當作奴隸。然後，幾年以後，他主人波提乏的太太也出賣他，他作了幾年的奴隸，又作了更多年的囚犯，但他一直是個無辜的人。誰膽敢說這樣的痛苦和不公義是神的旨意？

　　但是，如果沒有這些可怕的事件，這些和神顯明的旨意相牴觸的事件，那麼更糟的事就會發生。埃及人民會遭受極大的饑荒，早在約瑟的家人繁衍成爲以色列國之前，他們也都會死亡。約瑟的兄長不會學到一個痛苦但必須的功課，那就是公義和忠心，約瑟也不會學到犧牲和原諒。也許神可以用不同的方式完成相同的結果，我們永遠不知道是否可能，我們只知道神以奧秘的方式成就了一個沒有眼睛得以看見、沒有心思能以明瞭的計劃。這就是神隱藏、莫不可測的旨意（創世記三十七～五十章）。

　　十字架是神兩種旨意不同之處的典型例子。把耶穌處死的人犯了謀殺罪，因爲耶穌顯然無罪。他們的行爲違反了神顯明的旨意，當時的人都這麼認爲，但是耶穌的門徒最後改變了想法，他們逐漸相信是神計劃並掌管一切。雖然耶穌的反對者作了個邪惡的選擇，他們處死了耶穌，但是神仍舊完成了祂至高無上主權的目的。

　　早期追隨耶穌的人了解這種張力。例如在遭受迫害之後，他們選擇不逃到安全的地方，卻選擇向神禱告。他們用耶穌的受難來解釋自己的受難，他們知道耶穌的敵人幹了許多不公不義之事，可是他們也相信神在掌權，神在完

成祂至高無上主權的目的。「希律和本丟·彼拉多，外邦人和以色列民，果然在這城裏聚集，要攻打你所膏的聖僕耶穌，成就你手和你意旨所預定必有的事」（使徒行傳四 27～28）。

耶穌遭受極刑時，沒有人了解這個計劃，直到後來——耶穌復活之後——使徒們才能回顧並了解整件事中有神手的介入，他們只能在回想中明白這件事的重要性。我們也一樣，無法了解神隱藏旨意的意義，直到經過一段時間後回顧並看出一個浮現的模式。當時看起來似乎沒道理、令人悲哀、毫無意義的事，等到我們看見後來發生的結果，就會顯出更重大的意義。只有等到那時，神顯明的旨意和神隱藏的旨意之間明顯的矛盾，才能夠得到解決。

在奧秘中禱告

神顯明的旨意和神隱藏的旨意之間的差別，似乎一開始會使禱告變得複雜。我們嘗試要按照神顯明的旨意禱告，卻看見事件的發展似乎和神的旨意相反，那麼「按照神的旨意禱告」究竟是甚麼意思？也許神要藉著我們的禱告成就祂隱藏的旨意，而我們是經過對祂顯明的旨意加以深思之後，才根據祂的旨意禱告。也許神的兩種旨意不像表面上看起來的那麼互相衝突。

最近我聽到廣播中的一個訪問，把這個大奧秘探討得比我曾經聽說過的任何討論都更好。新聞廣播員訪問的是

一位知名的小說家，詢問她一本她剛開始寫作的書。訪問過程中，小說家說：「我現在剛開始認識各個人物，我剛開始成為他們的朋友。事實上，我很討厭他們當中的一個，我知道他會造成我的問題，也會給他自己帶來麻煩，我不確定要拿他怎麼辦。」

諷刺的是，她說的是她正要開始寫的一本小說裏的人物，那些人物是她心思和想像的產物，他們其實完全不存在，只活在她自己的頭腦裏。在開始寫作之前，她會設計情節、塑造人物。當她寫好後，整部小說都是她的，每個字都是。但是，她說到那些人物時，好像他們是真實的，她才「剛開始認識他們」，她甚至對其中一個人很生氣，因為那人作的決定她不喜歡。她因此在猜想那人的生命會怎麼影響整個故事。

有時候，我懷疑這一切是否就是如此。就一個層面來看，歷史的整個進程就像神自己寫的小說，那是祂的歷史，祂的創造，祂的計劃。至高無上、超越萬有的祂，是萬事萬物的創造者，一切都在祂的掌管之下；但是從另一個層面來看，祂創造的人物是真實的，他們作決定、愛或恨仇敵、尋求神或拒斥神、作好事或壞事，他們甚至會禱告。他們的行動以某種神秘的方式、在作者的控制之下，也幫忙塑造了後來的情節。

這樣的比喻不完美，因為小說裏面的人物並不是真實存在的，可是我們是真實存在的。神施展了驚人的故事寫作技藝，製造出真實的人，真實的人能作真實的決定，並

造成眞實的結果。令人驚奇的是這些眞實的人甚至還能向那位創造他們的作者禱告，並且他們的禱告會影響他們置身其中的故事。這一切都屬於大整體的一部分，那整體就是我們所知道的神隱藏的旨意。

這可能嗎？一定可能，因爲歷史上有一個事件具備了這個奧秘的精髓，那就是道成肉身。當我愈是思考道成肉身這件事，愈是感到隱晦不解。我覺得這件事比超級新星或相對論更令我感到眩目迷惑，我無法用自己的心思來理解這件事。

神是超越時空的，祂是不可名狀、崇高莊嚴、超越卓絕、聖潔的，祂完全與我們不同，是偉大的自有永有者，但是這位神抛開自己作爲神所擁有的權利和特權，變成了人，還不只是變成人，而且是變成胎兒。祂在馬廄出生，躺在飼料槽中。雖然祂一直也是神，卻穿著尿布，學習怎麼走路和說話，長大後是個平民，學習了一門技藝，並且研讀律法書。在世上只活了三十餘年，後來就受難而死。

神降生爲嬰孩？神遭受羞辱？神死在十字架上？神被埋在墓裏？這怎麼可能呢？神怎麼能隱藏在人裏面？那超越時間而存在的，怎麼會在三十餘歲時死去？那超越空間而存在的，怎麼會一生住在巴勒斯坦？那掌控歷史的，怎麼會在歷史裏，扮演一個深刻影響歷史結局的角色？這一切就好像作者把自己寫進書裏，成爲小說中的人物之一，但沒有把作者的目的透露給那個人物。

女撒的貴格利是早期基督教偉大的思想家和領袖之

一，從來沒有停止對於道成肉身感到驚奇。他說如果我們要看見神偉大的極致，必須思考他所說的神的「紆尊降貴」，亦即神變成真實的人，變成耶穌基督。

> 浩瀚廣闊的諸天、燦爛閃爍的星辰、宇宙的秩序和不中斷的統轄所有存在，都不能像神的紆尊降貴、變成具有我們人性的軟弱那樣，清楚展現出神超越一切的大能，使神的崇高卓絕在低微謙卑中顯明出來。[8]

或許神的紆尊降貴提供了我們應該怎麼禱告的榜樣。神能在耶穌裏面，變得低下、軟弱、易受傷害，那麼我們也可以在禱告中展現這些特質。禱告是為了成就某個良善而神聖的目的而呼求神，然而禱告也要求我們謙卑下來，認出自己的需要和無助，禱告其實

禱告其實就是降服於神的行動。

就是降服於神的行動。當我們禱告時，我們像翻身仰臥、暴露腹部的動物，我們像赤身掛在十字架上的耶穌，我們也許是戰士，卻沒有武器，只有憑藉禱告而戰。

8　引用於 Timothy George, "Is the God of Muhammad the Father of Jesus?"Christianity *Today* (Feb. 4, 2002), 34。

在張力中的真理

我告訴我的學生說：「真理總是在張力中。」神既是神、也是人；神有隱藏的旨意和顯明的旨意；神計劃歷史，但我們的禱告能影響神所計劃的歷史。在這種張力中，存在著真理。

沒有基督教的作者像巴特（Karl Barth）般，用深刻的洞見和極大的熱情，探究了這個張力。在他早期作牧師和神學家的時候，他就再次發現神超越的大能和我們禱告的力量。他認為兩者不會互相排斥。他覺得不可思議的是：全能全知的神、歷史的主宰，竟會命令我們禱告。就巴特而言，這個命令是有權柄的。他覺得納悶：「當全知全智的神自己命令我們帶著我們的請求來到祂面前，」為甚麼我們還會遲疑不禱告？

有個問題仍然存在。神是這麼偉大，我們微小的禱告會造成差別嗎？巴特相信：我們必須學習在張力中生活。神用祂「莊嚴偉大的策劃」統管歷史是事實，但是祂邀請我們禱告，向我們保證我們的禱告會造成真實、永恆的差別。神在永恆中聆聽我們的請求，根據自己的計劃衡量我們的禱告，並且時間到了就回應我們的禱告。所以，我們必須禱告！猶如巴特所說：「祈求是必須的。」[9]

我們是在這個張力中找到禱告的動機，我們禱告，是

---

[9]　Karl Barth, Prayer (Philadelphia: Westminster, 1946), 96。

因為我們知道神掌管一切，祂在推進歷史，目的是使祂神聖的計劃最後能完美地完成，可是，我們禱告，也是因為神會用我們的禱告來完成祂的計劃。神是作者、偉大而榮耀的說故事者，我們是故事裏的人物，我們也是真實的人物，不只是神在想像中虛構的人物。我們扮演的角色會影響情節的開展，我們的禱告會影響作者的心思。

神命令我們禱告，禱告是我們必須承受的美妙負擔。

神就是這麼安排的，因此祂命令我們禱告，禱告是我們必須承受的美妙負擔。福賽思才華洋溢地總結道：

> 祈求是合作的極致。……我們不是像個乞丐似的乞求，而是像個孩子。祈求不僅是接納，也不僅是施壓，而是子女的回報。每個愛別人的人都知道：愛是喜歡對方把我自己早已經知道的事告訴我，愛也希望對方向我祈求我自己想要給出的東西。[10]

[10] P. T. Forsyth, *The Soul of Prayer* (Vancouver, B.C.: Regent College Publishing, 1997), 71。

傾聽神

那麼我們應該怎麼照著神的旨意禱告呢？我認為需要某種節奏。我們應當有意識地、謹慎地傾聽神，我們才能有智慧地、大膽地祈求。

我們永遠要先傾聽，如果我們禱告有誤，一定得是因為聽錯了。向神少說一點、但說得好，好過說得多、可是實際上完全沒說。如果不謹慎傾聽，我們不會有正確的禱告。正如靈修作家巴爾塔薩（Hans Urs von Balthasar）所說：「突然我們會知道，禱告是一種由神的話採取主動、我們暫時只能作傾聽者的對話。」[11] 祈克果（Søren Kierkegaard）也說得很好：「真正的禱告關係不是神聽我們的祈求，而是禱告的人一直禱告到成為聽的人，能傾聽神的要求。」[12]

冥思默想聖經經文時，我們最能傾聽，尤其是思考詩篇和新約聖經裏面的禱告詞。一旦我們傾聽了，我們才能祈求——大膽、清晰、不歉疚地，因為我們向神禱告的是祂已經告訴我們的。我們向祂禱告的會是經文、祂自己的話。我們也許不知道會發生甚麼事，可是我們可以確定某件事一定會發生，神會聽我們的禱告並且加以回應。

---

[11] Hans Urs von Balthasar, *Prayer* (San Francisco: Ignatius Press, 1986), 15。

[12] Charles E. Moore, *Provocations: Spiritual Writings of Kierkegaard* (Farmington, Pa.: Plough, 1999), 345。

　　或許這就是爲甚麼我們應該使用聖經給我們的一個禱告的公式。聖經經文中記載了很多禱告——摩西、尼希米、哈拿、底波拉、以斯帖、馬利亞、保羅、甚至雅比斯。可是，耶穌只命令我們獻上一種禱告，那就是「主禱文」，內容簡單得令人驚異。

　　首先，這禱告文要我們有正確的優先順序。我們是向神禱告，神是無限超越我們的。因此我們應該表示尊崇和敬意。令人驚奇的是，我們能稱這位神聖的神爲父。「我們在天上的父：願人都尊你的名爲聖。」

　　其次，禱告文呼求神的國能在世上建立，而不是我們自己的國，那會是個充滿正義、和平及愛的國度，不是供個人斂取和增長勢力的國度。「願你的國降臨；願你的旨意行在地上，如同行在天上。」

　　第三，禱告文求神供應我們物質和靈性上的基本需要，也同時注意廣大民眾的需要。我們不是只爲自己個人的需要禱告，也爲世界各地神子民的需要禱告。「我們日用的飲食，今日賜給我們。免我們的債，如同我們免了人的債。」

　　第四，禱告文邀請我們承認自己容易受到傷害和軟弱。我們永遠不應像神的同輩似的禱告。當我們禱告、親近神時，我們是像個有限、會犯錯、需要保護和拯救的人。「不叫我們遇見試探；救我們脫離兇惡。」

　　最後，禱告文提醒我們：神在掌管一切，不論生活有多麼荒涼、令人灰心。「因爲國度、權柄、榮耀，全是你的，直到永遠。阿們！」這個禱告總結了在我們的禱告內容裏

應該包括的神的旨意，提供了我們應該使用的模式。

　　我回想到自己對第二次世界大戰的研究。有一天會有個研究生要研究美國打擊恐怖主義的戰爭，就像我研究第二次大戰一樣。她會逐頁閱讀《紐約時報》（New York Times）和《新聞週刊》（Newsweek），像個當時的目擊者一樣經歷打擊恐怖主義的戰爭，當然她會早已經知道戰爭的結局。她對於九月十一日恐怖分子的攻擊會感到懼怕和無助，正如同我對於珍珠港事件、原子彈的轟炸和大屠殺的感受。她會疑惑為甚麼飛機場的警衛不更具警覺心，為甚麼政府官員不追查線索，為甚麼美國人這麼危險地自滿。她會讀到個人的英勇行為和許多人可悲的死亡。

　　她會希望改變已經發生的事，因為她不會希望有約三千名受害者死亡，可是她甚麼事都不能作。一切對她而言會已經成為過去，就像第二次世界大戰對我而言已經過去一樣。

　　可是當她研究這個戰爭時，對她而言是過去的戰爭，對現在的我們而言是當下和未來。我們對於未來有許多未知，有許多無法掌控，未來完全是個謎。歷史會以我們無法想像和預測的方式開展，未來會令我們吃驚。

　　有些驚奇可能很好，科學家可能發現治癒愛滋病的方法，美國的總統可能在中東達成外交上的突破，美國太空總署可能開始在火星建立殖民地。其他的驚奇可能恐怖得像珍珠港事件、原子彈炸平廣島和長崎，以及對猶太人的大屠殺。

　　然而，雖然我們不知道未來，我們可以用禱告來影響未來。當我們禱告時，我們不必推測神可能作甚麼，或猜想神會作甚麼，因為我們可以支取聖經經文中記載的、神早就應許要作的事。神隱藏的旨意是神的事，神顯明的旨意是我們的事。無論禱告有多麼充滿奧秘，神顯明的旨意是我們能夠、也應該禱告的內容。

　　如果我們敢禱告。

Questions
for
Discussion

1. 怎麼可能藉禱告影響未來呢？禱告是怎
麼影響未來？

2. 想想有哪一、兩次你在禱告時，對於神
的旨意感到困惑。你怎麼辦？

3. 神顯明的旨意和神隱藏的旨意有甚麼
區別？你對於這兩者的差別有甚麼想
法，尤其在遭受苦難時？

4. 你要怎麼傾聽神？爲甚麼傾聽神很困
難？

5. 主禱文給我們提供了甚麼引導？用主禱文禱
告來結束這章。

第 **8** 章

禱告不是
關於我們自己！

Pryer Is Not About us *

草決定再長，
接受雨水滋潤來達到這目的，

可是我混亂無序的心靈
渴望某個無法言說的東西。

——耿潔，〈八月雨，草已乾後〉
(Jane Kenyon, "*August Rain, After Haying*") [1]

如果意識到自己的存在或者了解自己的禱告，
就不是完美的禱告。

——沙漠的聖安東尼
(St. Antony of the Desert, 251-356)

[1] 摘錄自" August Rain, After Haying", copyright 1996 by the Estate of Jane Kenyon. Reprinted from *Otherwise: New & Selected Poems*, with the permission of Graywolf Press, Saint Paul, Minneasota.

<big>安</big>妮覺得自己在襁褓中的兒子麥可看起來不一樣，雖然她不確定究竟怎麼不一樣。醫生都向她保證沒有問題。他們說：「你的寶寶完全正常。」可是，她的不安縈繞，她的直覺不願罷休，所以醫生對寶寶進行了一整套檢驗。

三個星期後，醫生報告了壞消息，麥可得了一個罕見的貓鳴症候群（Cri Du Chat Syndrome），意味著麥可的肌肉狀況不佳，無法控制小運動神經，心智遲緩，一生都會發育緩慢。所以，安妮和她家人必須面對挑戰，扶養無法照顧自己的孩子，並且要把他融入家庭生活中。這不是件簡單的事。

麥可出生後大概一年，在安妮的先生瑞博擔任牧師的教會裏，有一個家庭請他召集教會的長老，為他們的女兒抹油，並為她的病癒禱告，他們的女兒患了癌症。

這個要求碰觸了瑞博的傷痛，他覺得要為這種事禱告似乎近似荒唐可笑。他為麥可的痊癒已經禱告了一年，卻沒有明顯的效果。他曾經一再地禱告：「求神改變麥可出了問題的基因，讓他健全、正常。我希望作他的子女的祖父，我不希望我家裏有張輪椅！」

可是責任還是要履行，他是這個家庭的牧師，所以他召集了長老們，和他們一起為小女孩的病癒禱告。諷刺的是，他們的禱告獲得答應，小女孩痊癒了：但這只有更增添瑞博的沮喪和痛苦。如果神能治癒她，為甚麼不能治癒麥可？

當瑞博與神爭戰，拒絕把醫生的診斷視為神的旨意時，安妮降服自己，並盡力在這種情況下作好。她更換麥可的尿布、餵他、抱著搖他、對他說話和唱歌、撫弄他的頭髮、注視他的眼睛，並對他微笑。她懷著慈母的心擁抱他，把他當作需要愛的孩子。她為麥可所獻上的禱告很實際、切合當下的需要：「神，幫助麥可多吃一點。」「讓他回應我的愛。」她為小勝利歡喜。經過數個月，麥可幾乎完全沒有反應；但他後來大笑了，她覺得這是神對她禱告的重大回應。

麥可四歲時，他們的故事有個奇怪的轉折。麥可尚未學會走路，甚至還不能扶著學走器走路。有一天他爬進學走器，讓自己站起來，並且開始走過廚房，走向地下室的門。安妮沒有想到麥可能行走，當時暫時把他獨自留在廚房，所以她沒有在那裏設個柵欄，來防止他跌進地下室的樓梯裏。

他的頭撞到了地。聽見一個沉重的聲響和學走器破裂的聲音，安妮跟著衝下地下室的樓梯。起初，麥可無法自制地大哭，整個身體顫動抽慉，然後他變得完全靜止沉默，陷入一種奇怪的沉睡中。他的眼睛轉向腦後，身體變得軟綿綿的，頭腫大膨脹，他看起來好像要死了。

安妮打電話到瑞博的辦公室，他匆忙趕回家。他們立刻開車送麥可去醫院，途中誰都沒有說話，他們只是安靜地禱告，雙手張開，好像是說：「不論你的旨意是甚麼，我們都接受。」他們把手放在麥可身上，為他的痊癒禱告，

就像他們多年前所禱告過的。

　　到達醫院以後，醫護人員把他緊急推進急診室，對他進行了一套檢驗。過了一段時間，一個非常詫異的醫生來和瑞博及安妮談話。「很奇怪，完全沒有受傷的跡象，即使他的頭也沒有受傷，就好像甚麼事都沒發生，你們的兒子很好。」

　　如同瑞博後來所說的：「神選擇介入，祂改變了本來應該發生的事的軌道。麥可的跌倒沒有造成永久的傷害，雖然起先看起來會造成傷害。」

　　瑞博和安妮經常感到疑惑，我現在也同感疑惑：為甚麼治癒了第二次卻不治癒第一次？這其中有合理的解釋嗎？他們在第二次比較有信心嗎？他們變得更值得被神答應嗎？他們說了正確的話嗎？神變得更熱情、更慈悲嗎？他們會對這些說法都說「不」，可是他們還有別的話要說。

　　他們會說：因為麥可第一次沒有被治癒，不尋常的事就發生了。其中一件事是，麥可的病使他們更渴望要認識和跟隨神。另外一件事是他們禱告的方式也改變了。他們還是為麥可的痊癒禱告——他們在麥可意外摔進地下室之後所獻上的禱告便是明證。但是，他們現在禱告是帶著張開的雙手，這個動作象徵他們渴望把自己的意志交給神。

　　瑞博說得很好：「我以前禱告時引用經文，告訴神我的生活應該是怎麼樣的，神應該作甚麼來使我的生活變成那樣，可是我再也不這麼作了。」他暫停說話，自嘲地微微一笑，然後繼續說：「禱告很危險，總會讓我們改變。

我們禱告是想改變境況，可是神卻用我們的境況來改變我們。所有的禱告都在於願意將自己交給神。」如譚碧波（Barbara Brown Taylor）所寫的：「可是，除了禱告得答應之外，禱告還有其他意義，還能影響那個禱告的人。」[2]

向神求你所要的？

瑞博和安妮的故事，使我懷疑自己許多禱告的要求是否合適。我禱告時向神提出很多要求，這並沒有甚麼不對。耶穌甚至告訴我要這麼作。祂說：「你們祈求，就給你們。」可是我究竟應該祈求甚麼？

禱告很危險，總會讓我們改變。我們禱告是想改變境況，可是神卻用我們的境況來改變我們。所有的禱告都在於願意將自己交給神。

1540 年羅耀拉的依納爵（Ignatius of Loyola）為了在歐洲發揚天主教會，創建了耶穌社團（Society of Jesus），一般人稱之為耶穌會（Jesuits）。這個團體受到新教徒的反對，可是耶穌會的影響遠超過歐洲的疆界，並且也開始熱衷於傳教。到了十六世紀末，耶穌會其實已經擴展到世界各地，

---

2   Barbara Brown Taylor, "Bothering God," *Christian Century* (March. 24-31, 1999), 356。

遠至中國、印度、日本和南美洲。為了預備新加入者能面對等待著他們去面對的犧牲和苦難，依納爵為基督徒的成長寫了一個手冊，題名為《屬靈的操練》（*The Spiritual Exercises*；天主教譯為《神操》）。他希望提供實用、具彈性的工具，可供耶穌會的信徒前往遙遠而危險的地方服事時使用。許多這些信徒為自己的信仰而犧牲了性命。

依納爵也希望教導耶穌會的宣教士怎麼禱告，所以《屬靈的操練》提供了禱告大綱。其中一個大綱特別顯得與眾不同，我第一次讀到時，它就吸引了我的注意力：「向神我們的主求〔你〕所想要和喜歡的。」[3] 這似乎是個大膽的禱告詞，何不為任何東西向神求——汽車、遊艇、度假小屋、城堡、可供自己統治的帝國？這似乎是迎合卑劣的貪心，招呼神來照我們的命令行事，並且放縱我們的任何慾望，好像迎合我們對於財富、美麗和名望的喜愛的一個廣告。

可是依納爵有全然不同的意思。首先，他告訴我們要為自己想要甚麼向神求，意指我們最想要的我們無法得到，所以我們必須向神求，好像我們是小孩子，沒有媽媽的幫助就不能拿到放在櫥架高處的好東西。第二，他告訴我們要為自己想要甚麼向神求，鼓勵我們思索我們在生活裏真正確實想要甚麼。有甚麼渴望深藏心中，有甚麼渴望只有神能滿足？我們真正想要的是甚麼？我們應該要的是甚麼？

---

[3] St. Ignatius of Loyola, *The Spiritual Exercises of St. Ignatius* (New York: Doubleday, 1964), 54＝聖依納爵著，王昌祉譯，《神操》（台中：光啟，1960 再版）。

我思索自己真正想要的是甚麼。我的良心會允許我為自己所真正想要的禱告嗎？

我之所以不更加頻繁、熱切地禱告，也許是因為我所想要的是錯誤、次要的事物，是偶像。當我真的禱告時，通常是為世俗之事，像健康良好或工作穩定。一點都不令人驚奇的是：直到我對於這些事覺得沒有把握時，我才會熱切禱告。直到我生病了，我才會為健康禱告；直到我遇上麻煩了，我才會為得幫助禱告；直到我對於未來感到困惑了，我才會為蒙神引領禱告。直到有甚麼我不想要和未預期的事打亂了我的生活，迫使我感到絕望，我才會禱告。

當我覺得生活似乎一帆風順時，我不會多禱告。為甚麼要禱告嘛？我當然感謝神的恩典，感謝神是很有意義的禱告。當

> 我之所以不更加頻繁、熱切地禱告，也許是因為我所想要的是錯誤、次要的事物，是偶像。

生活平順時，我們常忘記感謝神，也就顯露了對於神的慷慨恩慈極端不尊敬。我求神繼續把恩慈傾倒在我身上，可是我的禱告常缺乏熱度，除非有甚麼不好的事發生。然後，像彼得滑落海浪下，我才會大叫：「主啊，救我！」

我記得多年前發生的一件事，迫使我熱切地禱告。當時華燈初上，玲德剛送鄰居的小孩們回家，正在為晚上第一個洗澡的人放水。她要我叫黛珍，她那時才三歲。

我大聲喊：「黛珍，」沒有回答。這很平常，因為黛珍喜歡躲起來。

我再大喊：「黛珍，」語氣中帶著更多威嚴。還是沒有回答。

我把房子從上到下搜尋了一遍，並且到外面尋找，然後，玲德給幾個鄰居打電話，我又再遍尋家裏，還是找不到黛珍。這時候我開始感到一絲驚慌，好像即將要暈眩。我必須強迫自己不驚慌暈眩，並集中精神保持鎮定，仔細想她可能會去哪裏。

朋友過來，組織了幾個搜索隊。他們又把屋裏搜查了一遍，每個地方都看了；他們急忙在鄰近地區搜尋，查看了孩子們喜歡去玩的所有地方；他們也開始打電話。沒有人能找到她。經過四十五分鐘的不斷搜尋，我感到極度害怕，好像跌入恐懼中，甚麼都無法控制。我想像可能發生的最壞的情況──小黛珍被綁架了。

最後我們報了警。警察知道我們極度驚慌，他非常鎮定、仁慈。他說標準的程序是要再把屋裏搜索一遍，雖然他知道我們已經搜索了好幾遍了。他在一張床下找到熟睡的黛珍，她緊靠著牆，捲在一條床罩裏。她藏得那麼好，即使警察也幾乎沒看見她。警察把她抱起來，帶到外面。

我永遠不會忘記那一刻，即使現在我的眼睛還滿溢淚水。我看著黛珍的眼睛，她對我微笑，好像是說：「幹嘛大驚小怪？」我把她交給玲德，然後我跪在地上，因放下心中大石而哭泣。

　　我想自己從來沒有像以為黛珍不見了那樣熱切又驚慌地禱告，我發狂似地要找到她，我熱切地「為我的渴望」禱告，因為我非常愛她。這件事過去以後，我又故態復萌，再次隨意地禱告，輕鬆得猶如一對年老夫妻享受星期日下午的開車閒逛，好像全世界唯一的問題──也就是我自己的問題──已經解決了。

　　這讓我懷疑：我們的禱告缺乏熱情，是不是因為我們渴望的事太侷限於我們自己眼前的考量和世俗的利益。只要生活過得平順，我們不怎麼覺得需要禱告。我們只在自己認為正常（也就是我們自己的幸福）受到威脅時才禱告──我是指真正的禱告──就像有人只在敵人即將攻打自己家鄉時才從軍參戰。因此，得了癌症、配偶離開、股票市場崩盤，或者女兒嫁給遊手好閒的人時，我們才禱告。

　　這並不是不好，我完全應該為能找到黛珍而禱告，我當時本來就應該感到害怕，也應該迫切禱告。問題不在於我為自己個人的需要禱告，而在於我的禱告只限於此，顯露出我連禱告都傾向於自私。

照著文化來禱告

　　我逐漸發現：文化對於我怎麼禱告有超出我願意承認的影響力。像大多數人一樣，我希望能快樂、成功和昌盛，我希望自己的孩子和朋友也能如此。在我脆弱的時刻──有許多這樣的時刻──我按照西方文化的特權禱告，不是按照

神的旨意。我曾經為事業成功、健康絕佳、假期安全和家庭幸福禱告。有一次我禱告求神激勵我的兒子更努力讀書，使他高中畢業時能以滿分的成績畢業。有一次我禱告，希望我的女兒能在戲劇表演中扮演主角。

我對於自己過去的禱告如此自私感到震驚——我對於自己現在的自私禱告還是感到震驚。我這麼禱告，也許是因為我生活周遭的文化喚醒了我內心的這些渴望，也承諾要藉著神的幫助來滿足這些渴望。我的——我們的——禱告變得太自私、太世俗化了嗎？

歷史似乎是反對我們這麼禱告的。對於禱告，偉大的靈修作家似乎和我們今天的人有不同的觀點。怎麼不同？

第一，過去兩千年來，大多數人的生活比我們今天艱難許多。在發現麻醉劑、青黴素和其他神奇的醫藥之前，許多人都無法長大成人，都死於難產或某種兒童的疾病。那些能長大成人的人，必須長時間地辛苦工作，只求餬口生存。女人生小孩、縫製衣服、照顧院子、儲藏水果、清理房子，並且每天煮足夠一家人食用的三餐；男人在農地工作、在打鐵店揮動鐵錘，或製造皮革。成功、富足和幸福是遙遠的目標，平凡人多半無法奢望。直到最近，至少在西方，科技、醫學的進步，以及經濟的繁榮，才使許多人能享受好生活。

我們的昌盛對於我們所造成的影響，超出我們的想像。如果我們不離開置身其中的環境、遠離我們舒適的生活，我們不會——也可能不能——注意到這個情況。這就像

在美國中西部過多，皮膚會變得蒼白，直到在南加州的海灘待了一天，我們才會注意到自己的皮膚有多麼慘白。有時候我們必須訪問另一個文化，才能瞭解我們的社會有多麼繁榮，也才能明白我們變得多麼自私，即使在我們禱告時也是一樣。

去年夏天我研究「沙漠聖徒」，那是在第四和第五世紀盛行的，確實很奇怪的運動。當時基督教剛成為羅馬帝國正式承認的國教，許多基督徒擔憂教會在遭受迫害長達三世紀之後，會變得太有權勢、太受歡迎。雖然參加教會的人數暴漲激增，作為門徒的標準卻一落千丈。少數虔誠的基督徒不喜歡這個現象，退到沙漠中對抗教會的世俗化。

這些沙漠的聖徒飲食很有節制、禁食禱告、培養對神的虔誠專一，並且服事有需要的人。有個叫格西安（John Cassian）的人對這個運動非常感興趣，他前往沙漠並和這些沙漠聖徒一同居住了三年，對於他們的禱告特別留下深刻的印象。觀察他們怎麼禱告，他評論說：「〔他們的禱告〕不包括對於富裕的祈求，沒有想到名譽，沒有要求得到權力，沒有提到身體健康或長壽。永恆的創始者不會要我們求短暫的、無價值的、無常的東西。」[4] 如格西安所說，我們應該為免除自己自私的慾望而禱告，不是為滿足自己自私的慾望禱告。

---

[4] Owen Chadwick, *The Conference of John Cassian: Western Asceticism* (Philadelphia: Westminster, 1986), 226。

第二，世界上許多基督徒曾經爲自己的信仰受苦。我們住在西方的人很難瞭解這些迫害的程度，受難數字令人震驚。在過去兩千年中，估計有超過七千萬基督徒爲自己的信仰而死，其中四千五百萬人是死於二十世紀！「殉道者之音」（Voice of the Martyrs）報導：僅在 2000 年這一年，就有將近二十萬信徒壯烈殉道。

然而，這些數字仍然沒有說出真實的故事，統計數字裏的人我們不認識，也不曾聽聞。這些人和我們一樣，也希望長壽，也被家人、朋友所愛，也希望和平、安靜地處理他們的事務。我們誰都無法瞭解七千萬這樣龐大數字的死亡。

但是，我們可以運用想像力。我接受的訓練和從事的職業是研究歷史，我要學生在研究教會歷史時運用他們的想像力，盡量進入神的子民的經驗中，同情那些必須爲自己的信仰付出最終代價的基督徒所遭受的苦難。我說到年僅二十二歲、育有子女的母親普柏度（Perpetua）的故事，她在第三世紀初於北非壯烈犧牲。我重述利得理（Francis Ridley）和喇提美爾（Hugh Latimer）的殉道，他們在第十六世紀瑪莉（Mary）恐怖統治時期接受火刑時，彼此勉勵保持對神的真誠。我提醒學生：有四十萬基督徒在 1970 年代初期，被烏干達的阿敏（Idi Amin）處死。

這些殉道者爲獲得拯救禱告，在一些情況下他們的禱告得到答應，但在大多數情況下他們的禱告沒有得到答應，然而，他們也都爲他們認爲比獲得拯救更重要的事禱

告。他們求神使他們在面對酷刑和死刑時能堅強、充滿信心，使他們的死能帶給神榮耀，使他們殉道產生的影響能吸引其他人相信基督。

第三，早期的基督徒似乎因為某種原因比我們今天更相信神至高無上的主權。他們對於這個世界能給他們的有較不浮誇的看法，對於在天堂的生活有較充滿希望的看法。他們雖然不輕視在世上的生活——畢竟他們也結婚生子、工作和遊戲——但他們相信世上的生活最多也只是天堂的些微揭示，像豪華大餐開始前的開胃菜。無論他們在世的生活有多麼令人失望，他們相信神是為他們在天堂的生活作預備。他們著眼於神更大的目的，因為他們了解神還是神，即使自己目前的環境似乎顯示神不在掌權。

如果他們為獲得拯救禱告，而神並沒有回應，他們就繼續禱告，相信神根據自己的計劃和時間表行事，不是按照他們的計劃和時間表。不蒙垂聽的禱告沒有引發我們今天常會發生的信仰危機。最近逝世的靈修作家盧雲也寫到相同的主題：

> 禱告是指放棄虛假的安全感，彷彿你已經被迫得走投無路，不再尋求能保護你的說法，不再把希望放在人生仍然可以提供你的幾個輕鬆時刻上。禱告是指停止希望神提供你那些你在自己身上發現的小趣味。[5]

---

[5]　Henri Nouwen, *With Open Hands* (New York: Baltimore Books,

成功的問題

　　我們無法改變自己置身的文化環境，我在美國的中產階級出生，完全不是因爲我的作爲，是被賜與的，像決定了我的長相和能力的遺傳基因。除此之外，我喜歡自己的生活環境，至少對於大部分的環境，我是喜歡的。

　　比如今天早上，我一大清早起床後，在安全的鄰近社區跑了一圈，然後坐在門口的吊椅上禱告了一陣子，身邊環繞著美麗的草坪和盛開的花朵。我吃了豐盛的早餐，並開車把我最小的兒子強明送去參加籃球訓練營。現在我坐在舒服的椅子上，打著我的手提式電腦。今天下午我會給隔開廚房和家人起居室的兩扇法式門，漆上第一道油漆。然後，看完強明下午稍晚的籃球比賽，我會和幾個朋友一起去附近的一家冷凍優酪乳店，最後我會觀看西雅圖水手隊（Seattle Mariners）對抗奧克蘭運動隊（Oakland Athletics）這場重要的四連賽之一的比賽，結束這一天。

　　這些活動都沒有錯，也不會不道德。我從來沒有爲得到我現在所享受的一切而撒謊、欺騙或偷竊，我不需要覺得歉疚。我經歷的豐盛是我所呼吸的空氣的一部分，是我所居住的環境景觀，猶如水從水龍頭流出那麼熟悉和自然，也像超級市場裏陳列的食物那麼充裕。可是，我忘記了如果想想世界上大多數人的生活方式，這一切其實很不

堅持一生的禱告

1987), 54＝盧雲著，徐麗娟譯，《親愛主，牽我手──認識禱告眞義》（香港：基道，1991），70。

平常。我不知道我的生活方式對我的禱告有甚麼影響，我想我是過得太舒服、太自足了，所以我傾向於只在昌盛受到某種威脅時才禱告，為維持生活正常才禱告。

在過去二十五年中，出現了一個運動，叫作「豐盛／成功福音」（prosperity gospel），這個運動認為這麼禱告是合情合理的。根據這個運動的觀點，神希望我們支取我們有權繼承的世俗產業。如果我們「指出並宣告擁有」，那麼我們就會得到。只要求，我們就會擁有健康和財富，同樣的，我們也會擁有牧會的成功、幸福的婚姻、完美的孩子和生活的快樂，這都是神美妙計劃的一部分。幾年前有個受歡迎的演說者大聲地這麼公開宣告：「既然我是君王的孩子，我想我應該活得像個王！」

消費主義就進入了教會，市場觀念影響了屬靈生活，把神當作瓶中仙，似乎神存在的目的就是要回應我們的每個需要、渴望和要求。不必在乎登山寶訓所提到的國度的價值！不必在乎世界的苦難！不必在乎耶穌令人膽顫心驚的警告，那就是如果我們要成為祂的門徒，必須捨己、背起十字架、跟隨祂！

我知道自己變得愛說教，可是如果我站在講臺上，斥責西方的基督徒，我也坐在長條凳上，被動地聽、退縮不前，也可能不悅地皺眉頭。我只是對我自己說教：我也犯同樣的錯誤。

保羅的「成功」！

使徒保羅可以作爲有益的對比，在新約聖經中，我們對他的了解比其他任何人（當然，除了耶穌以外）都多。保羅在加拉太書、帖撒羅尼迦前書和哥林多後書中，提到他詳細的生平細節。

沒有甚麼資料顯示保羅曾經爲過好生活而禱告，他坐過牢，但是他沒有爲自己的獲釋禱告。他經常面對迫害，可是從不祈求解除迫害。保羅的生活艱辛、坎坷，充滿困難和痛苦。他受苦是因他禱告，不是因他沒有禱告！他祈禱神能讓他像耶穌，並且使用他來爲基督贏得世界。

有段文字特別能描述這一點。當時保羅被囚禁在監牢裏，他寫信給住在腓立比的一小群基督徒。那些人愛保羅，並爲他的獲得釋放禱告，保羅相信神會回應他們的禱告。他寫到：「我知道，這事藉著你們的祈禱和耶穌基督之靈的幫助，終必叫我得救。」但是，被囚禁對保羅而言似乎不太重要，因爲有更重要的事，那就是他要榮耀基督的心願。「照著我所切慕、所盼望的，沒有一事叫我羞愧。只要凡事放膽，無論是生是死，總叫基督在我身上照常顯大。因我活著就是基督，我死了就有益處。」

他在這段文字中顯露出令人驚異的兩難矛盾情緒。他稍事停頓，思考自己最盼望的是甚麼——使他能繼續宣教事工的獲釋，還是使他能與主同在的死亡。最後他決定選擇獲釋，但只是爲他們的緣故。「情願離世與基督同在，因爲

這是好的無比的。然而，我在肉身活著，爲你們更是要緊的。我既然這樣深信，就知道仍要住在世間，且與你們眾人同住，使你們在所信的道上又長進又喜樂」（腓立比書一19～26）。

我們為認識神禱告

我再度問自己：「我應該爲甚麼禱告？我眞正想要甚麼？」在這一點上，聖經給我們指出一個新方向，要我們問一個不同的問題。事實上，我們爲了甚麼禱告，甚至不是最重要的問題，重要的是我們爲甚麼要禱告。我們禱告是因爲神值得我們的禱告，因此禱告完全不是以我們爲主，禱告全是爲了神。

我們禱告，因爲我們眞正渴望的、超乎一切並深藏在我們生命深處的，是想要認識神。這是我們的心中渴望的，不論我們是否有意識地知道自己的渴望，或者深刻地感受到這個渴望。神創造我們、神供應我們、神救贖我們。我們的一切——我們能移動和思考的能力、我們愛的能力、我們想禱告的傾向——都倚靠神。祂像我們呼吸的空氣、餵養我們的食物、維持我們生

> 我們禱告，因為我們真正渴望的、超乎一切並深藏在我們生命深處的，是想要認識神。

命的水。路易斯寫道：「在神的設計中，人類這部機器必須靠他才能運轉。在祂的設計中，祂自己正是我們的靈命燃燒所需的油或者必須進食的食物。……神不能從祂自身以外賜給我們幸福和平安，沒有這樣的事。」[6]

我們企圖用次要的事物來滿足自己最深的渴望，可是完全白費力氣。神自己賜給了我們這些可以享受的事物，可是他絕不希望我們把這些錯認為最終和最重要的東西。因此，如同路易斯的觀察，神收回我們渴望的幸福和安全，我們才不會滿足於任何次於神自己的事物。當我們和神的關係對我們來說是最重要的，其他的愛、渴望和快樂其實會增加。路易斯寫道：

> 神收回我們渴望的幸福和安全，我們才不會滿足於任何次於神自己的事物。

> 當我學會愛神更勝於愛我在世上最親愛的人，我會比現在更愛我在世上最親愛的人。只要我學習愛我在世上最親愛的人，卻犧牲神、不愛神，我會走向完全不愛我在世上最親愛的人的地步。當首要的事擺在首要，次要的事不會被降低，反而升高。[7]

堅持一生的禱告

6　C. S. Lewis, *Mere Christianity* (New York: Macmillan, 1943), 54 ＝《基督教信仰正解》／《如此基督教》，36＝《返璞歸真》，40。

7　引用於 Armand M. Nicholi Jr., *The Question of God* (New York: Free

所以，我們禱告不是爲了得到甚麼，而是爲了認識某人，像個戀人只爲了享受親密關係而享受親密關係，不是爲了從親密關係中得到像娛樂、安全或受歡迎之類的東西。車禍之後，我因爲許多原因思念玲德，我覺得無法承當自己面對的情況，我也難以忍受自己對她的想念。起初，我希望她還活著，好幫助我讓家裏正常運作，至少有部分原因是我需要她幫忙作家事──折疊洗乾淨的衣服、維持家裏的清潔、煮飯、處理文書，並且開車送孩子們去參加他們各自的活動。可是我早已經學會承擔這些責任，我們家現在運作順利得猶如具備高效能的機器，我能煮飯、清洗、照顧孩子，並管理家中大小事，我並不像從前那樣需要她。

但是，傷痛仍然存在，因爲我想她，不是爲了她可以作甚麼事，而是

無論我們知道或不知道，我們渴望神的同在，神才是我們真正的家，神才是我們禱告的真正理由。

爲了她這個人。我不想念抽象概念裏的太太，我想念那個我跟她結婚的人。我仍舊看見她的臉，仍舊對她特異之處抱以微笑，仍舊記得我們在夜闌人靜時的對話，我甚至懷念我們的爭吵。我學到喪偶真正的痛苦在於失去了那個我把心交給她的人。如果她四肢麻痺、卻還活在家裏，我會

Press, 2002), 106。

欣喜若狂，至少我得回了她。

　　當然，和我們與神的關係相比，婚姻是非常次要的。無論我們知道或不知道，我們渴望神的同在，神才是我們真正的家，神才是我們禱告的真正理由。神回應我們特定的要求非常好，就像不論我們多麼喜歡自己的工作，假期對我們而言非常重要，可是這一切都是次要的。只認識神就足夠了，因為與神有親密關係才是我們最渴望的。

　　舊約聖經中約伯的故事強調了這點。約伯是個善良的義人，他有個大而快樂的家庭，擁有許多財富，也有堅定的信心，甚至神也似乎對約伯感到驚嘆。但是撒但向神打賭，他認為約伯的善良和虔誠是因為神一直善待他，撒但說，如果奪去約伯的昌盛富裕，約伯會轉而反對神。

　　於是神讓撒但把約伯的生活變得痛苦可悲，約伯失去他所有的孩子、財富，最後失去他自己的健康。三位朋友來探望約伯，想安慰他，並給他忠告。根據傳統的智慧，三個人都想說服約伯為自己的罪過懺悔，因為他們認為約伯遭受苦難是因為他有罪、背離了神，他面對的正是他該得到的懲罰。約伯拒絕接受這樣的解釋，認為有更多肉眼不得見的事發生。他知道自己不完美，可是他也知道有比他更糟的人，他們並沒有遭受相同程度的苦難。約伯和朋友爭辯，努力想了解發生的事，也和神爭論，可是他沒有放棄信仰，也沒有咒罵神。

　　最後，神立即、強大、不可否定地降臨到約伯的生命中，故事並沒有告訴我們神是怎麼到來的。約伯用一系列

神反問他的問題來描述這個無法形容的經歷，那些問題強調了神的偉大和力量，也使約伯退縮，把他放在他應該在的位置，使他覺得渺小、不重要，一如細微的塵土。當這個經歷結束，約伯想不出能說甚麼，只能——聽起來很令人驚奇——爲自己的放肆和無知道歉。只是面對神就使他完全無法自持，因此他對神說：

> 我知道，你萬事都能做；你的旨意不能攔阻。誰用無知的言語使你的旨意隱藏呢？我所說的是我不明白的；這些事太奇妙，是我不知道的。求你聽我，我要說話；我問你，求你指示我。我從前風聞有你，現在親眼看見你。因此我厭惡自己，在塵土和爐灰中懊悔。
>
> ——約伯記四十二 2～6

約伯在某種奧秘的經歷中遇見永活的神，那是我們知道的，這個會面是語言和邏輯的極致，約伯無法言語，他變得完全靜止、沉默，因爲無法言喻的神的同在，而驚訝得說不出話來。他不再提出問題，他不再要求，他不再宣稱自己的權利。他只俯首降服，因爲他最後總算得到了他最需要和渴想的事物——遇見永活的神。

我們爲榮耀神禱告

我們禱告有第二個理由。我們也爲榮耀神而禱告，因爲

我們渴望能更清楚地瞥見神的偉大、力量和美麗。神創造宇宙，使宇宙閃耀著他的榮光，每個存在的事物都顯露神的某種特質，他的浩大、美麗或複雜。人類是神的榮耀最終和最後的表達，因爲人類帶著他的形像。所以，當我們寫小說、妥善經營一個生意、在公益廚房服事、深愛配偶、重建一個汽車引擎，以及向神禱告時——尤其當我們禱告時——我們都把榮耀帶給他，我們顯示了神有多麼美麗和神聖。神創造萬物——尤其是人類——是爲了榮耀他自己。

耶穌是因爲想要榮耀父神，而被激勵完成了他在世上的使命。事實上。他能榮耀自己到甚麼程度，正是他帶給父神的榮耀程度。「父啊，時候到了，願你榮耀你的兒子，使兒子也榮耀你。……我在地上已經榮耀你，你所託付我的事，我已成全了。父啊，現在求你使我同享榮耀，就是未有世界以先，我同你所有的榮耀」（約翰福音十七 1、4～5）。

幾乎每個曾經寫到關於禱告的基督徒都會強調這點，就像遵照了一個劇本，事實上也是如此——他們遵照了聖經這劇本。對他們而言，神的榮耀是重點，他們認爲這正是禱告的首要動機。我們可以只爲滿足自己而禱告，那根本不是眞正的禱告，但我們也可以爲榮耀神而禱告。尤金·畢德生（Eugene Peterson）作了最尖銳的對比。我們只有兩個選擇，我們的禱告可能以自我爲中心，或者以神爲中心，沒有妥協的餘地。當我們禱告說：「我們決定離開以自我

為中心的世界，進入以神為中心的世界。……可是，這並不容易。我們習慣於焦慮、自我和問題，我們不習慣於讚嘆、神和奧秘。」[8]

　　然而，對於為榮耀神而禱告這個看法，我還是覺得不安，這個看法給人的印象是神以自我為中心，希望吸引一切注意力，就像個高中生誇耀自己的運動能力。神這麼缺乏安全感，以致需要人提醒他說他是多麼偉大？神這麼驕傲，以致想要人把祂的奇妙告訴祂？這似乎太少不更事，太和神的本質不相稱。

　　或許這並不像表面看起來的那麼奇怪和無禮。我住在芝加哥的時候，我和教會裏的一位手藝精湛的木匠會員結識為朋友，大概每星期一次我會很晚的時候去斯平的店裏，我們兩個人會如他所喜歡形容的，一起「製造一些木屑」。我讚嘆他的技巧，他是個完美主義者。每當他完成一件木工，他會退後一點，欣賞一下。「這真是美麗的傢俱，」他會帶著明顯的滿意這麼說。受到傢俱絕佳品質的感動，他會暫時忘記自己是製造傢俱的人，他會像那件傢俱本身具有價值似的，加以讚美。但是，我知道他完成的每件作品都反映了他自己的聰明才智，他自己的作品榮耀了他。

　　神也是如此。當他創造了天地之後，他說天地很好；當他創造了人類，他說人類甚好。祂喜愛自己創造的事物，

8　　Eugene Peterson, *Answering God* (San Francisco: HarperCollins, 1989), 23。

創造的美反映出創造者的才智，如同一件完美的傢俱反映出工匠的才智。救贖的奇妙——耶穌為拯救世人脫離罪、惡和死而犧牲——更加燦爛輝煌地反映出神的榮耀。

「為甚麼」和「甚麼」

我們為甚麼要禱告，影響我們為了甚麼禱告。我們禱告，如果主要是為增加我們個人的利益，那麼我們的禱告會變得自私、短視，只為自己服務。可是，如果我們祈禱認識神並榮耀神，那麼我們的禱告會把神放在祂應得的位置，在萬事萬物的中央。即使我們是為自己的需要禱告，我們所祈求的事也會為了取悅、尊崇神。

因此，如果我們為疾病能得醫治禱告，那是為了更能事奉神，可是如果我們繼續生病，我們還是會努力榮耀神，「無論是生是死，」一如使徒保羅所說。如果我們為工作禱告，那是為了能使用我們的職位和資源來建造祂的國度，而不是建造我們自己的國度。如果我們找不到工作，我們會用自己的時間和掙扎來榮耀神。我們會把神放在一切事物的首位。

我們一旦開始為認識神和榮耀神而禱告，那麼我們就可以「為我們想要的來禱告」，如依納爵的忠告。事實上，我們為甚麼要禱告和我們為了甚麼禱告是密切相關的。如果我們為能榮耀神的事物禱告——亦即我們自己的改變和世人的獲得救贖（我們會在下兩章中探討這些主題），神回應

我們的禱告時就得到榮耀。神喜歡我們禱告，祂仔細聆聽，祂也渴望回應。當神果眞回應我們的禱告時，祂顯示出自己是神，但是如果祂的回應會鼓勵那些我們必須改變的壞習慣，像自私和以自我爲中心，祂就不會回應。

我想到瑞博和安妮爲麥可所禱告的，他們現在禱告是如他們所說的：「帶著張開的雙手」，那個姿勢象徵了禱告對他們的意義。他們還是爲「自己想要的」而禱告，可是總是帶著順服。他們當然希望麥可能痊癒，他們恐怕永遠會這麼希望，可是他們更渴望別的事。他們希望認識神，他們希望自己的生命能榮耀神。如瑞博所說，他們不再按照一個劇本禱告。所有的禱告都是向神降服，因爲神是極爲奇妙、榮耀和良善的。我們是爲祂而造，我們屬於祂，因此，所有的禱告都應該歸向祂。

Questions
for
Discussion

1. 帶著「張開的雙手」禱告是甚麼意思？

2. 爲甚麼要如依納爵所說「爲你想要的禱
告」？這樣的禱告有甚麼危險？

3. 想出幾個「根據文化」禱告的例子。
你認爲這是個問題嗎？爲甚麼？

4. 爲甚麼和神有親密的關係是我們最深
的渴望和需要？

5. 把神的榮耀放在心上是甚麼意思？

6. 爲認識神和榮耀神而禱告，會怎麼改變你的
禱告方式？

第 **9** 章

禱告改變我們

Prayer Changes Us*

真正的禱告是寂寞的。

——查德域
(Samuel Chadwick)

禱告是我可以跟神一起作的最親密的活動，
最能顯露自我，我可以在祂面前敞開心和靈。
在禱告中，我脆弱地面對神，
顯露出最真實的自我，
我也找到應許，
神會把這個衣衫襤褸的人
改變成王公貴族——成為君王之父。

——管泰瑞
(Terry Glaspey)

地獄。除非在非常保守的宗教圈裏，地獄是大家談話時避諱的話題。這個話題出現時，我們覺得侷促不安，也想改變話題。我們避免去談論這個主題的教會，也跳過聖經中提到這個主題的段落。地獄近似亂倫，是個大家避諱的話題。

然而，我對地獄感到好奇。像大多數人一樣，我聽說過所有傳統的描述——蒸騰的硫磺、怒燒的火、可怖的哀號、揮動鐵叉的紅色小鬼嘲辱著那些被罰下地獄的人。可是，這些不是我在這裏要談的，我對於人怎麼會到那裏去更感興趣。以前我認為是神把人遣送到那裏，我對這點的看法還是沒有改變，可是我也認為是人選擇去那裏，因為他們會覺得天堂是個無法忍受的地方。如果天堂是神在的地方，他們完全不會想要去那裏。

是路易斯讓我這麼想的。在他的小說《天淵之別》（*The Great Divorce*）中，他敘述一群住在地獄的人，他們搭乘一輛公共汽車去參觀天堂。他們發現在沿途的任何地點，他們都可以選擇離開旅行團並留在天堂，因此他們有了再一次選擇的機會。這是個大好的機會。令人詫異的是大多數的遊客不喜歡天堂，希望逃回地獄。對他們來說，天堂太亮、太多色彩、太穩固，也太純潔。天堂真實得令人覺得刺痛，好像走出黑暗的電影院時，陽光會刺痛眼睛。他們覺得天堂恐怖，是因為神在那裏，他們希望回到陰暗中，離神越遠越好。

路易斯在小說中顯示出：地獄和天堂的最主要差別不

210

堅持一生的禱告

在於溫度、氣味、噪音或痛苦，真正的差別在於以誰為中心。神是天堂的中心，因此上天堂的人必須願意永遠活在祂面前，而神是無限超越人的，只用祂同在的力量就能迫使人順從於祂的偉大。在進入天堂時，人必須改變，和神同住，不改變是不可能的。

自我是地獄的中心，在地獄的人要怎麼以自我為中心和自私都可以，可以完全以自己為焦點。聽起來可能很奇怪，這些人要待在地獄。如果人要毫無阻礙或競爭地扮演神，地獄是唯一的地方。如《天淵之別》裏的一個人物所說：「最後只有兩種人：那些對神說：『願你的旨意成全』的人，和那些聽見神對他

> 地獄和天堂的最主要差別不在於溫度、氣味、噪音或痛苦，真正的差別在於以誰為中心。

們說：『如你所願』的人。那些在地獄的人，都是自己選擇去地獄的。」[1] 路易斯的這個想法其實是來自但丁（Dante），但丁說地獄的門是從裏面鎖上的，不是從外面。地獄是許多人想要去的地方。

[1]　C. S. Lewis, *The Great Divorce* (New York: Macmillan, 1946), 72 ＝《天淵之別》（台北：校園，1978）／《夢幻巴士》（台北：校園，1991），81。

地獄和禱告何干？

最終會去地獄的人，堅持世界必須改變，世界是為他們而改變。他們希望成為事物的中心，希望世界繞著自己轉。地獄把他們所渴望的給他們，只是他們最後住的世界和他們一樣瑣碎狹小。去天堂的人知道他們必須改變，他們是為神而改變。他們知道神是事物的中心，自己的責任是順從神的渴望。

我們禱告，是因為我們希望世界會變得不一樣，能變得更好，變成更符合神的旨意，所以在禱告中，我們求神改變在外面某個地方的世界，那個在自我以外的世界。最令我們關注的「世界」顯然是我們自己眼前經驗的世界——家、教會、鄰里、當地的學校、城市和工作場所。我們祈禱配偶會變得更有愛心，教會變得更團結，社區會變得更歡迎外來者。

可是，我們忘了自己也需要改變。我們不是在一切之上，不是沒有任何缺失。我們不完美，我們也不配住在一個完美的世界。如果我們為「在外的」世界所獻上的每個禱告都得到答應，我們恐怕會比從前更糟，因為我們還是會像現在一樣，以自我為中心、自私自利，卻住在一個比我們好得多的世界。我們會想要逃離這樣的世界，地獄會成為我們的避難所。

所以，在禱告中，我們應該求神改變我們，然後祂可以使用我們這些改變了的人，來幫忙改變世界。因此，除非

我們願意承認自己和外在的世界一樣需要改變（縱使我們不是比世界更需要改變），我們不能正確地禱告。

如果有某個經驗暴露了我的缺失和不完美，那就是作單親父親的經驗。我們家的生活在意外發生後變得完全混亂，凱麗總是大哭，大偉變得憂鬱、憤怒，強明啜泣、哀哭。孩子們似乎經常爭吵，他們時常反抗我的權威。我在意外發生之後十一年的現在回顧當時，覺得這一切幾乎顯得很好笑，可是，那是因為故事有個好結局。

我寫日記，記錄了早年的那許多事件和對話，使我能記得發生的事。我想起一個經驗，是我可以提到的許多經驗之一。凱麗那時是十或十一歲，到了睡覺時間，凱麗照舊使出拖字訣，又遲遲不肯上床睡覺。

「凱麗，請你去睡覺。」

「我要作功課。」

「你應該照我說的早早作完功課，現在去睡覺。」

十分鐘過去了，凱麗還是在客廳，四處遊走。

「凱麗，我要你去睡覺，現在去！不要再找藉口。」

「我要跟老師說你不讓我作完我的功課。」

「好，你跟她說。我不在乎。你早就有時間作功課，現在太晚了，超過你應該睡覺的時間。」

「我這個功課作不完了，你還不在乎。」

「我受夠了，明天晚上你要早上床睡覺一個小時。你不照我的意思作，你知道家裏的規矩。你要拖拖拉拉，我可沒辦法。」

「你現在還對我發脾氣。」

「我沒有發脾氣，可是我要來了。你希望下個星期都早上床睡覺一個小時嗎？」

「爸啊，你對我好兇，我想要愛和信任你，可是你讓我很難愛和信任你。」

我快要爆炸了，然後凱麗開始哭。我記得：這樣爭吵後，我覺得非常灰心，自己到清晨兩點還無法入睡，一直和神爭辯。我覺得自己很不適任、很無助，也很困惑，不知道怎麼對付凱麗的不服從、和想操控我來配合她的喜好。現在凱麗和我當然對這些事覺得好笑，可是當時可不太好笑。

我無時不禱告，求神改變我的孩子，我也有很好的理由這麼求。他們的行為像小妖怪，而且好像就要闖禍。緩慢但確定的，神答應了我的禱告。我的孩子開始遵守紀律，作份內的家事，能夠彼此處得來，也行為正常。平安再次回到我們家，我開始在清晨兩點以前上床睡覺。

可是，別的事也發生了。我變得比較不會批評我的孩子，比較會批評我自己。我早就知道孩子們的缺點，他們的缺點太明顯了。我熱切禱告求神改變他們，因為他們非常需要改變，可是我也需要改變。我經常大吼大叫、嘮嘮叨叨，太容易讓步，對於他們的爭吵、不高興和不負責任，又反應得太情緒化。凱麗其實是對的，我太兇了。

我和他們一樣需要禱告。他們也許在那一小段時期表現得像「壞」孩子——吵架、啼哭、抱怨和反抗。然而，我

也表現得像個「壞」父親——吼叫、威脅、嘮叨和訓話。諷刺的是，神用他們的缺失來改正我的缺失，最終神恩待了我們一家人，他們變成更好的孩子，我也變成更好的父親。

不論是不是單親家庭，大多數家庭都像我家一樣，似乎都遵循一個相似的模式，家人用彼此的品行不端來原諒自己的不當言行。有位太太哭訴：「我先生從來不準時回家。」她先生回說：「我在家的時候她總是令人難以忍受，所以我不想回家。」兄弟姊妹互相指責：「她每次都不問一聲就進我房間；」「他老是拿我的光碟。如果我要拿他房間裏的光碟當然可以，那些都是我的。」指責滿天飛就像剛被攪動的火，火星四射。

我們需要求神把我們脆弱、自私、有缺點的自我，變得更像祂。神會回應這樣的禱告，這是使祂滿心歡喜的禱告。

問題不單侷限在家裏，四處可見。隊員因為重要的比賽輸了而互相指責，兩黨的政治人物彼此指責對方提倡對國家不利的政策，世界各國的領導者把指責的手指指向敵人，指控他們必須為造成某個國際災難負責。每個人似乎都確信自己永遠是對的，問題就產生了，怎麼可能在同一時間每個人都對，而每個其他人都錯呢？完全不合邏輯。

有時候結果是殘忍的，猶如婚姻以苦毒的離婚收場，或國際衝突導致流血和毀滅。只要沒有人願意先改變，那

麼甚麼事都不會改變。很少有人敢於以評判別人的方式省察自己，我們要求世界根據我們的期望改變，我們甚至為此禱告。我們把世界變成在地上的地獄，也就不足為奇了。

我們也需要為自己禱告，求神改變我們，不論祂是否會改變我們周遭的世界。我們需要求神把我們脆弱、自私、有缺點的自我，變得更像祂。神會回應這樣的禱告，這是使祂滿心歡喜的禱告。

神給我們的最好的禮物

神希望改變我們，使我們合祂的心意，不是改變世界，使世界合我們的心意。

最終，神對禱告最好的回應會與我們的想像有極大的差距。顯示出神對禱告所作的最好的回應，不是神為我們作了甚麼，而是神在我們裏面作了甚麼。神希望改變我們，使我們合祂的心意，不是改變世界，使世界合我們的心意。如作者和翻譯家尤金・畢德生所寫：「禱告不是作甚麼或得到甚麼的工具，而是活出甚麼或變成甚麼的工具。」[2]

2　Eugene Peterson, *Answering God* (San Francisco: HarperCollins, 1989), 1。

　　章伯斯相信禱告是要改變我們，然後我們才能協助改變世界，可是這一切必須從我們開始。

　　如果説「禱告改變事物」，不如説「禱告改變我，然後我改變事物」，更符合事實。在救贖的基礎上，神已經讓禱告能改變人對事物的看法。禱告不是改變外在的事物，而是對人內在的本性施行神蹟。[3]

　　神就是從這裏開始——從改變我們的「內在本性」開始。因爲神是甚麽樣的神和祂的應許，我們可以對這點非常確信。耶穌用世上的父母這個例子來說明這點。耶穌解釋說：世上的父母大多數都善待自己的兒女，如果兒女所求看來合理，父母會給他們，因爲好的父母都會這麽作。所以，如果兒子要求再吃一份馬鈴薯泥，母親不會給他一個發霉的麵包。如果女兒要求買一條新運動褲，父親不會給她一個粗麻布袋。父母的天性就是要滿足兒女的需要，配合他們的要求，作出對他們最有益的事。父母本來就應該如此。

　　然後，耶穌說到重點：「你們雖然不好，尚且知道拿好東西給兒女；何況天父，豈不更將聖靈給求祂的人嗎？」（路加福音十一 13）。神對禱告最好的回應、祂最珍貴的禮

---

[3]　Oswald Chambers, *My Utmost for His Highest* (Grand Rapids: Discovery House, 1992), August 22 ＝章伯斯著，蔣黃心湄譯，《竭誠爲主》（香港：證主），1981，八月 22 日。

物，不是我們通常所想的，絕對不是事物，而是祂自己，是祂住在我們心中。

耶穌的門徒一定對這段話感到驚訝，甚至可能感到失望，我知道自己會這麼覺得。將心比心，我會想要別的東西。我不會期盼得到「聖靈」，我會期盼「世界和平」、「拯救失喪的人」、「牧會成功」、「脫離邪惡」，或「永不止息的昌盛繁榮」。但是，根據耶穌的說法，神最好的禮物不在聖靈這個禮物之外。聖靈住在我們裏面，無論我們的處境如何，聖靈要幫助我們變得愈來愈像神盼望我們成為的人。

神對禱告最好的回應、祂最珍貴的禮物，不是我們通常所想的，絕對不是事物，而是祂自己，是祂住在我們心中。

神自己這麼應許我們，祂應許要差派聖靈來，聖靈就在我們的生活中與我們同在，並積極作工。約翰的福音書對於這點有非常明確的描述。耶穌受審訊並死去的前一天，祂在最後一個晚上和門徒相聚。門徒心中充滿不祥的預感，因為他們知道有甚麼事要發生了，但是他們不確定是甚麼事。他們希望耶穌還是和他們在一起，也希望一切能維持原樣。

耶穌察覺他們的憂愁，就對他們說話。「然而，我將真情告訴你們，我去是於你們有益的；我若不去，保惠師〔聖

堅持一生的禱告

靈〕就不到你們這裏來；我若去，就差祂來」（約翰福音十
六 7）。耶穌對祂的門徒說聖靈的工作是使他們事奉有力、
叫世人知道自己有罪、提醒他們耶穌的教導，並在喧囂暴
動中賜給他們平安。

聖靈不會讓他們的生活變得平順，可是耶穌確信聖靈
的同在對他們最有益，因爲神自己就是靈，祂會在他們裏面
工作，使他們能跟隨祂。使徒保羅也有相似的說法，他告
訴在以弗所的信徒要繼續被「聖靈充滿」，因爲聖靈會把他
們變成非凡的人，具有喜樂、平安和愛的特質（以弗所書
五 18～20；參：加拉太書五 22～23）。

我們給神的禮物

可是，我們眞的要聖靈這個禮物嗎？我們敢在禱告時
要求這個禮物嗎？我懷疑。代價可能比我們想像的高出許
多。我覺得自己寧可安全點，要求不那麼具威脅性又方便
得多的東西，像成功、財富或權勢。我眞的要神的靈在我
裏面動工來改變我的生命嗎？

耶穌門徒的經驗更證明我的考慮有理。耶穌告訴他們
在耶路撒冷等候，直到祂派遣聖靈來。他們禱告、禁食，
等了十天。他們在那十天中想些甚麼？他們能想像在後來
的歲月中自己最後會發生甚麼事嗎？

被聖靈充滿之後，他們四散到羅馬帝國的各處，向人
們傳講耶穌，醫治病患，在任何他們發現有需要的地方服

事。充溢著聖靈的他們成為有效的見證者、活生生的例子，說明了神在屬於祂的凡夫俗子的生命裏能成就的事。當他們陸續離開世界時，已經在羅馬帝國的各地創立了許多小教會，對於社會造成很大的影響，即使羅馬皇帝也對他們的影響力感到不悅，針對基督徒進行迫害。這聽起來非常戲劇化。如果我們能像他們一樣被改變，如果我們能成就他們所成就的事，如果我們也能經歷聖靈的大能，不是很令人興奮的事嗎？

　　我不太確定。發生在他們裏面的事，我覺得似乎很令人讚嘆，隨後發生在他們身上的事，使我滿心畏懼。門徒們面對持續不斷的反對，經歷各類的損失，殉道而死，因為他們曾經被聖靈充滿。神改變了他們，在他們裏面行神蹟，也經由他們影響世界──都是藉著聖靈的大能。可是要付上多麼大的代價啊！他們的成功吸引我，他們的苦難令我反感，我可以只要其中一個，不要另一個嗎？恐怕不能。

　　神把他們變成像耶穌一樣，祂也會照樣改變我們，如果我們敢求，這就是目標，這最終的目標既是獎賞，也是代價，兩者合而為一。如保羅說到聖靈改變人的工作：「主就是那靈；主的靈在哪裏，那裏就得以自由。我們眾人既然敞著臉得以看見主的榮光，好像從鏡子裡返照，就變成主的形狀，榮上加榮，如同從主的靈變成的」（哥林多後書三17～18；亦見：羅馬書八29與約翰一書三2）。

　　高薩德也談到這個主題。神真正的工作是使我們變成寫給世界的活生生的書信，把神對於人類生命的計劃告訴

每個人。

　　我們在信仰的時代，聖靈不再寫福音，只在我們心中寫：虔敬的靈是書頁，苦難和行動是墨汁。聖靈用行動的筆，寫出活生生的福音，我們只能在榮耀的那天讀到，那天剛從生命的印刷機印出的福音才會出版。[4]

　　我們自己可以作好許多事。我們可以學會讀和寫、揮動高爾夫球桿、平衡支票簿、打掃房子、開車、養育孩子、控制食慾，甚至改善個性，可是沒有神的靈在我們裏面工作，我們無法變得像耶穌，就像醫生不能對自己進行開心手術。我們最多只能把自己交給神，或者如保羅所寫，把自己獻給神當作「活祭」，意即把我們整個人和所有的一切都交出——我們好的和壞的習慣、我們可笑的特質、我們黑暗的秘密、我們驚人的才華、我們微薄的積蓄——都交給神。

沒有神的靈在我們裏面工作，我們無法變得像耶穌，就像醫生不能對自己進行開心手術。

　　十九世紀的聖潔運動是用「分別為聖」這個詞，來表

---

[4]　Jean-Pierre de Caussade, *The Sacrament of the Present Moment* (San Francisco: HarperCollins, 1982), 101-2。

達相同的觀點。那個運動的領袖知道人性極為軟弱和善變。我們很難改變自己，因為我們要藉以產生改變的動力和力量的自我，正是那個極需改變的自我。所以，我們必須把自己獻出──亦即交託──給神，求祂在我們裏面作我們自己無法作的事。史哈拿用最適當的方式說明了這點──用禱告說明：

> 我嘗試保守自己，一再失敗，非常慘痛地失敗，我完全無助，所以現在我要信靠你，把自己交給你。我完全沒有保留，身體、魂和靈，我把自己當作一塊泥獻給你，任由你的喜愛和智慧，作成你決定要作的東西。[5]

浪子回頭的故事藉著語言微妙的轉折，說明了以自我為中心、向神要求的人和謙卑降服於神的人，兩者的差異。一如富司迪的觀察，故事的前半段是兒子要求父親給他甚麼，他要求繼承財物。如果參照古代近東的習俗，兒子是在父親死後才能取得繼承權，兒子的這個要求是很無情無義的。他說：「給我屬於我的產業。」然後，在他父親同意之後，他逃離開家，流浪到一個遙遠的國家，在那裏把他繼承的財富浪費、揮霍一空。不久，他就手頭緊迫，為一個養豬的農夫工作。

5　Hannah Whitall Smith, *The Christian's Secret of a Happy Life* (Old Tappan, N.J.: Spire Books, 1970), 39-40＝史哈拿著，譯，《信徒快樂秘訣》（香港：證主）。

最後他幡然悔悟，明白自己在父親家裏作奴僕還好過
獨自在外出賣勞力。他回家後，沒有重複從前的要求，反
而對父親說：「把我當作（英文作 make me，『使我成為』）
一個雇工吧！」可是父親把他迎進家裏，並沒有把他視為
奴僕，還是把他視為兒子。

注意兒了的祈求從「給我」轉變為「使我成為」。富司
迪的結語是：

> 無論是經歷罪、哀愁或艱難的現實掙扎，我們達到真
> 正的成熟，便往往會從哭求神「給我」，長大為祈求神「使
> 我成為」。總之，我們不再只因神可能給我們東西才重視
> 祂，我們因神之所以為神而愛祂，並且期盼被祂重新塑
> 造。[6]

這就是分別為聖的行動。我們把自己獻給神，求聖靈
在我們身上作最好的工作，但也可能是最艱難的工作。

神轉化的工具

神給我們的最好禮物是聖靈，我們給神的禮物就是我
們自己，把我們自己當作活祭獻上。現在只有一件事有待

---

[6] Harry Emerson Fosdick, *The Meaning of Prayer* (New York: Association Press, 1915), 24。

討論，神需要工具——比如說一個鑿子——來進行這個轉化的工作。神最常使用的工具是逆境——也就是困難、艱苦的時候，令人惱怒的事，掙扎，反對和患難。

　　保羅對這一點尤其清楚。雖然大多數中英文版的翻譯，在羅馬書第五章是用「患難」這個詞，但是該處的希臘字也可以譯成「逆境」、「痛苦」或「艱苦的時候」。保羅說神用逆境轉化我們。「我們在患難中也是歡歡喜喜的，因為知道患難生忍耐，忍耐生老練，老練生盼望；盼望不至於羞恥，因為所賜給我們的聖靈將神的愛澆灌在我們心裏」（羅馬書五 3～5）。雅各書補充道：「我的弟兄們，你們落在百般試煉中，都要以為大喜樂；因為知道你們的信心經過試驗，就生忍耐。但忍耐也當成功，使你們成全、完備，毫無缺欠」（雅各書一 2～4）。

　　要靈命成長，逆境是必須的。就以耐心的成長為例來說明吧！耐心不是我最喜愛的美德。我開車時像個身負重要使命的人，很容易對開車低於速限的人、和我才剛要到路口就變成紅燈的交通號誌生氣，要我有耐心就像要我慢速駕駛。不令人訝異的是，塞車、爆胎、修路和其他造成延遲的事故都迫使我必須操練耐心，我不喜歡，可是知道自己需要這樣的操練。同樣的，子女之間的衝突要求我變得溫和，家裏的喧囂要求我在神裏面尋找平安，疲憊要求我在祂的恩典中安息。

　　有別的方法嗎？我希望有，可是我對人性的了解使我冷靜清醒。我無法瞭解為甚麼世界上有這麼多苦難，為甚

麼神允許這些苦難？我覺得許多苦難似乎是毫無用處的，或者更糟的是這些苦難造成無法估計的破壞。有些人無法克服、超越這些苦難，甚至無法活過苦難。他們也就傾撲、跌倒，再也沒有站起來，雖然他們自己也並沒有過錯，他們只是在壓力下粉碎了，每個人遲早都會如此，因為我們都有自己承受不住、要崩潰的極限。所以，我拒絕把苦難理想化，我只恐懼視之，畏縮以對，我看過太多人無法從苦難中恢復過來。

但是，我也無法了解：如果沒有苦難，我們該怎麼辦。帶著極大的猶豫，我得到這樣的結論，逆境剝奪我們、暴露我們、破碎我們，這都是靈命真正能成長的前提。有時候必須把舊車分解，才能把它們妥善地恢復到最佳狀況。苦難使我們知道自己的需要、軟弱和罪性，促使我們親近神。

在逆境中，神變得與我們同在並積極作工。在我們有最深刻的需要時，祂給我們的禮物是祂自己，沒有其他東西，不多不少。在監獄裏憔悴、無精打采？——神在那裏，引領我們悔改。躺在臨終的床上？——神在那裏，安慰我們。被朋友或愛人背棄？——神在那裏，關心照顧我們。被競爭壓得不成人形？——神在那裏，恢復我們的信心。因為某種緣故，苦難似乎是唯一的方法，能使我們學習，使我們掙脫對世界的依戀，使我們棄絕以自我為中心和自私自利。我們向神求具體可見的禮物，許多是合理的祈求，也值得我們為之禱告，可是我們真正需要的其實只是神，我

們需要神在我們的生活中積極地與我們同在。

在奧希維茲死亡區（Death Block in Auschwitz）地下室的二十一號牢房牆上，有個刻出的十字架，是一個人在被囚期間用自己的指甲摳出來的，那是一位勇敢的波蘭反抗組織軍官金士風（Stefan Jasienski）。那是個發狂的懇求，他的靈魂哭求能獲得拯救。為甚麼在拘禁猶太人的牢營中出現十字架？為甚麼只出現在那個牢房？

因為某種緣故，苦難似乎是唯一的方法，能使我們學習，使我們掙脫對世界的依戀，使我們棄絕以自我為中心和自私自利。

相隔兩個牢房，孔敏明神父（Father Maximilian Kolbe）為了他從來沒作的事被餓死。1941年，發生一起被監禁的囚犯逃跑的事件。為查出逃亡者，有個納粹軍官強迫死亡區的囚犯在夏天的酷熱中立正站立一整天，不給他們食物和水。查不出逃亡者，那個軍官宣佈有十個人要替那個找不到的人死，選到的十個人之一是高方志（Franciszek Gajowniczek），他絕望得哭喊：「啊，我可憐的太太和孩子，他們再也見不到我了。」

就在這時孔神父挺身而出，他企圖親吻那個軍官的手。被問到他要甚麼時，他告訴軍官他希望替高方志死。軍官同意了他的請求，把他送到死亡區裏受挨餓之刑的牢房，可是孔神父餓不死，他兩個星期沒有吃喝，還是活著，

納粹最後用注射毒藥的方式殺了他。他還活著時，孔神父帶領其他九個人進行熱切的唱詩和禱告。有個清潔工後來寫道：死亡區變得「像個教堂」。幾年以後，金士風在他的牢房刻十字架，為了記念那些人的信仰。被孔神父救了的高方志從牢營中倖存，再度看見自己的家人，直到 1997 年才去世。[7]

我相信孔神父會是個好人，即使他從來沒有被監禁過，可是他不會成為英勇的人，他需要死亡區的試煉。逆境讓他顯現出非凡的勇氣、使他能以犧牲的方式愛人，甚至能夠以烈士的方式犧牲。當然，他的處境非比尋常，如果神願意，我們可能永遠不必忍受他所忍受的嚴峻考驗，可是我們還是要面對某種程度的逆境，或許只是比較和緩的逆境。猶如孔神父，生活中真正的英雄是以尊嚴、信心和忍耐來回應逆境的，我們必須作的就是注意我們每天面對的小惱怒和問題，並問一個問題：「神想在我的生命裏成就甚麼？」然後禱告：「神，用這個逆境來轉化我。」

那麼我們該怎麼禱告？

很奇怪的，雖然我們知道自己多麼極需改變，我們也頑固地拒絕改變，這樣的固執影響我們的信心。我們希望

---

[7]　Agnieszka Tennant, *Christianity Today* 網站：www.christianitytoday.com/ct/2002/117/51.0.html。

神與我們關係和睦，使我們有舒適的生活，也為我們開一條安全、穩定的康莊大道，路上不會遇見麻煩、不便和苦難。不幸的是：沒有這樣的神，也沒有這樣的人生。一如派克（M. Scott Peck）所寫：

> 生命是艱苦的，這是真理，是最大的真理之一。這是個真理，因為一旦我們真正看見這個真理，我們就得以超越。一旦我們真正知道生命是艱苦的──一旦我們真正了解並且接受這個真理──那麼生命就不再艱苦。因為一旦接受了這個真理，就不會在乎生命是艱苦的這個事實。[8]

然而，如果我們願意，神能用艱苦使我們成為更好的人。開業的精神科醫生兼哈佛大學教授的聶安民（Armand M. Nicholi Jr.），在課堂講述弗洛伊德（Sigmund Freud）的一生和世界觀多年後，有位選課的學生建議他也教一個與弗洛伊德相反的觀點，可以提供學生另一個明顯不同的選擇。聶安民覺得那個學生的建議很有道理，他決定採用路易斯的觀點。

兩人之間的相似處令聶安民感到詫異。兩人都早熟、年幼的時候都失去重要的親人、和父親的關係不佳，並且在青少年時期棄絕了他們家傳統的宗教信仰。可是，路易

---

8   M. Scott Peck, *The Road Less Traveled* (New York: Simon and Schuster, 1978), 15＝派克著，張定綺譯，《心靈地圖》（台北：天下文化）。

斯長大成人後恢復信仰（他的情況是再回到基督教），聶安民發現這對路易斯的生命過程產生戲劇性的影響。

似乎是路易斯對神的信仰使他的生命轉向，和弗洛伊德的生命有極大的不同。弗洛伊德始終無法和人維持親密的關係，路易斯卻發展出能持續一生的深刻友誼。弗洛伊德在大部分成人生活中為嫉妒、猜疑和不幸福而掙扎，路易斯卻變得健康、喜樂。弗洛伊德的損失和苦難使他消沉疲憊，最後自殺而死，路易斯卻被自己對神的信心轉化，變得更健康、快樂，即使他像弗洛伊德一樣，也在整個成人生活中遇見困難、面對逆境，並且經歷失望。

社會科學家最近幾年才開始研究讓人健康、快樂的原因。真誠相信神和持續的宗教行為似乎對人的心智、生理和情感有益。譬如，宗教信仰幫助人從疾病和損失中能較快地再站起來，幫助人增進人際關係，幫助人強化婚姻和家庭，也幫助人改善整體的福祉。原因很多，可是有個明確的原因是：信仰幫助人更正面地回應逆境，使人能在困難中更成功地調整自己，也讓人在確實需要改變時能改變。信仰似乎能夠使人變得更堅強、健康和明智。

神很熱心，也很樂意為幫助我們作任何事，可是我們必須願意轉向祂，面對自己，並且改變。一切只在於我們的選擇，不會有喧騰的鼓號來慶祝我們的改變，也少有人會注意到我們的改變。不是我們把世界當作必須為我們而改變，就是我們求神使用世界來為祂而改變我們，這兩者中沒有哪一個比較重要，世界是需要改變，可是我們也需

要改變。

　　神會回應我們的禱告嗎？祂會轉化我們嗎？祂絕對會，雖然我們不知道——也無法知道——祂會怎麼作。神的靈必須深入我們生命裏。對於必須作甚麼和神會作甚麼，我們所知有限，我們也不會想知道，因為那會使我們覺得無法承受。我們只需要知道神會動工，祂會回應我們的禱告，我們現在不會明白祂的回應方式，可是以後會覺得非常合理，那時我們會看見神在我們生命裏卓越非凡地工作所產生的結果。

　　哈列斯比說得很好：「你困惑地問：『可是祂為甚麼不應允我的禱告？』祂已經應允了你的禱告。經過你在無助中向祂打開的那扇門，祂已經進入你的生命。祂已經住在你心中，祂正在你裏面作著美好的工作。」[9]

[9]　O. Hallesby, *Prayer*, 22 = 哈列斯比著，顏路裔譯，《禱告》，18-19。

Questions
for
Discussion

1. 回想幾個你希望環境改變或者你生活周
   遭的人改變的例子。想出幾個非常難以
   改變我們自己的原因。

2. 爲甚麼聖靈是神最好的禮物？

3. 你可以怎麼開始把自己當作活祭獻給
   神？

4. 爲甚麼在基督教的信仰中逆境是非常有
   必要的？

5. 反思你現在面對的逆境。神會怎麼使用這個
   逆境來改變你？

堅持一生的禱告

第**10**章

史詩般的故事

The Epic Story *

不是我們的禱告不蒙垂聽，
而是我們不接受得到的回應。

———佟闊天
(Kosti Tolonen)

2002 年七月二十四日星期三，一位在地下深處工作的礦工意外鑽通一個相鄰、廢棄、淹水許久的礦坑，水高似牆，沖向工人正在工作的通道，六千萬加侖的水以每小時六十哩的速度前進。工人——其中的九個人——無法逃脫，水沖刷而來，他們都知道只要再過幾分鐘就會被淹死。九個人當中的一個何德寧（Dennis Hall）說：「令人害怕的是看著水漲高，知道你沒有逃生之路。」水不斷高漲，直到水淹沒了他們的頭。

他們把自己綁在一起，使大家可以一起生存或一同死亡，他們走到一個只有四呎高的小石洞，水還沒有淹到那裏。他們一起擠在那裏，水舐著他們的腳，他們深陷在地下兩百四十呎處，四周漆黑一片，又冷又濕。他們聞到不好的空氣，心中想如果水不淹死他們，他們也會死於有毒的氣體或體溫過低。

當救難人員把礦坑通道鑽開了個小孔，抽進了溫暖、新鮮的空氣，他們開始充滿希望。礦工們敲打管線九次，表示九個人都還活著，然後他們等待。時間緩慢地過去，工人圍繞著六吋的洞，努力保持溫暖，並吸進新鮮空氣。他們一次只用一支手電筒，並且一天只用幾個小時。

他們也分享彼此的看法。麥合立（Harry [Blaine] Mayhugh）說：「任何能想到的事——你的家人、那天上班前你最後對家人說的話。」他們給家人寫紙條，跟他們道別。麥合立解釋說自己希望「寫紙條給我太太和孩子，要告訴他們我愛他們。」有個人寫給他女兒：「我直到最後

都想著你。」他們盡可能互相鼓勵。麥合立說：「我們有時充滿希望，有時失望灰心。」「有人失望時，我們都努力讓他開心，然後你覺得失望了，其他人就鼓勵你。」

然而，有一次，他們幾乎完全失去希望。有幾個小時他們聽見大電鑽的隆隆響聲，電鑽在鑽開大得足以把他們拉出去的通道，突然那個噪音停止了，令人痛苦的寂靜持續了十八個小時，這段時間長得足以讓人覺得那個黑暗、冰冷、潮濕的礦坑就是墓穴。礦工們開始認為有甚麼非常不好的事發生了，也許救難人員放棄了，以為他們死了。

地面上有非常不同的景況。救難人員日以繼夜地工作，急著援救他們。停止鑽孔是因為電鑽的螺旋鑽斷了，必須更換，需要耗費許多寶貴的時間。同時，家人和朋友擠在一個鄰近的志願消防站──期盼、等待、彼此安慰。似乎每個人都在禱告，幾乎每扇窗戶都掛出標語：「為礦工禱告。」星期五在「眾聖徒天主教會」（All Saints Catholic Church）的燭光禱告會，吸引了三百人參加，支持者豎立了一個壇，壇上有九名礦工的雕像。

這個礦場離美國航空公司九十三號班機在九月十一日事件中墜毀的地點，只有十哩。那次事件機上四十人全部喪生，卻拯救了恐怖分子毫無疑問想殺害的其他不可勝數的人。那架蒙受惡運的飛機上乘客的家屬，寄給礦工的親友一封鼓勵的信，附近社區的人送來食物，全國都注意這件事，許許多多的人都為礦工的獲救禱告。

等待許久之後終於恢復鑽洞，令當地和全美國的人──

就不提礦工們自己！──感到驚訝和鬆口氣。救難人員最後找到那些人，把他們安全拉上地面。幾乎每個工人都說是神的恩典使他們能生還，他們說：神答應了禱告。一位礦工的朋友兼鄰居說：「礦坑可以變成地獄，可是也可能發生神蹟。」附近一家餐廳的老闆評論道：「我們一開始覺得好像有人一巴掌回絕了我們，後來卻知道我們的禱告得到答應。」

可是，當地一位建築工人把解脫和感激的感覺總結得最好。「你以為事情就是這樣，悲劇是人生的一部分。像這樣的事確實能改變你對事物的看法。」[1]

面對最壞的情況

我嘗試想像自己是那些礦工，寂靜的十八個小時一定幾乎令人無法忍受，像等待處決。鑽洞停止了，似乎救難人員放棄了，礦工們覺得完全寂寞、孤獨、被遺棄，他們遲早會死亡。充滿痛苦、不安和恐怖的十八個小時，在地底下兩百四十呎，在他們一定覺得像地獄的地方。

而他們只能等待，一小時又一小時地等，等待救援的

[1]　Dirk Johnson, "Miraculously, 'All Nine Are Alive,'" *Newsweek* (August 5, 2002), 28-29; "As Waters Rose, Pennsylvania Miners Wrote Words of Love," *Spokesman-Review* (July 29, 2002), A8; "This Time, Region Gets Happy Ending," *Spokesman-Review* (July 29, 2002), A8。

到來，如果真會有任何救援到來的話。但是，這九個人從來沒有停止相信，不論機會是多麼渺小。他們預備了要面對最壞的情況──死亡。但是，他們盼望、祈禱有最好的結果──獲得拯救。

十八個小時不算長，除非你被陷在地下兩百四十呎處，預期隨時都可能因淹沒、體溫過低、或窒息而死。在這種創痛中，時間變成相對的，我確信十八個小時會像十八天，甚至更久。

在我們生命的某個時刻，我們都會有這樣的感覺。應許和完成應許、說出禱告和回應禱告之間的一段時間，可能看起來非常漫長，長得無法繼續盼望並堅持禱告，可是有時候這正是我們必須作的事──繼續盼望和禱告，繼續十八個小時、十八天、或十八年，甚至似乎沒有理由要繼續時，我們仍然要繼續。

說是比作容易。在我成年後，我忍耐了許多不同的階段，尤其在玲德死後，我必須在裏面幾乎沒有剩下一絲信心氣息的情況下，等待、盼望、並禱告，好像我氣息微弱，必須大口喘氣，才能相信神還是與我同在。

我想到特別的一件事。意外之後一年，我接到親戚寄來的許多篇文章，目的是希望我為最壞的可能作準備，但也幫助我定下使家人能夠恢復平靜的方法，那些文章陳述了社會科學界有關失去母親對於子女的長期影響的研究。那天晚上我完成我們平常的睡覺常規，清理了廚房，放了佛瑞（Faure）的安魂曲（*Requiem*），然後跌坐進我最喜歡

的搖椅。我只在那裏坐一下，想藉此集中精神，作還需要作的十件事中的一件事。

然後，我記起那些文章，開始帶著奇怪的不祥預感讀那些文字。我得知童年失去母親的影響常是具有毀滅性的，尤其在兒童成年後。幼小喪失母親的兒童容易沮喪，很難發展長期的親密關係，一生也經常充滿失敗，不斷換工作和變動人際關係。

我呆坐在那裏，覺得自己陷入絕望的深淵。「無論我作甚麼或多麼經常禱告，情況都對我非常不利。我只能期盼一生充滿痛苦，血淚將永遠不會停止。」在那一刻，我覺得自己的孩子註定面對一生的苦難——學校表現不佳、沒有朋友、離婚、長期的沮喪。我必須盡全力才能繼續相信已經發生的悲劇不會決定一切，我們全家的命運不會就如我在那些文章中所讀到的黯淡淒涼的統計數字。那晚我消沉失望，如此持續了一段時間，我為最壞的情況而緊張。

不是那樣回應

如果我們必須等待很久——時間長過那些礦工的等待，甚至長過我的等待——禱告才能獲得回應，並且看見神拯救我們生命的跡象，那怎麼辦？一個選擇當然是假設神根本不會回應我們的禱告，所以我們應該放棄禱告。

可是，還有一個選擇，也許根本沒有不蒙垂聽的禱告。我們解釋成「不回應」其實可能是「不是那樣回應」或者

「還沒有回應」。換句話說，等待可能是必須的、有創意的、也有用的，像看著森林逐漸從大火的蹂躪復元，直到變得比以前更爲美麗。

我們認爲禱告不蒙垂聽，並不表示神也這麼認爲。同樣的，現在禱告不蒙垂聽，並不表示下個月、明年、或下個世紀也不蒙垂聽。

有時候，我們想得很狹小，像嬰兒的世界只有搖籃那麼大。我們假設自己知道甚麼對自己最好，因此影響了我們怎麼禱告和甚麼時候停止禱告，可是生命的景觀遠比我們的視線允許我們看見的大得多，尤其在禱告這方面。禱告時，我們必須想著那更大的景觀，好像我們是個探險家，知道肉眼看得見的山脈之外還有別的天地。我們根據自己眼前的情況，覺得對自己有益的事物，可能最後發現根本不好。一切只在於觀點。

也許根本沒有不蒙垂聽的禱告。我們解釋成「不回應」其實可能是「不是那樣回應」或者「還沒有回應」。

和許多人一樣，鄉村和西部歌手葛司‧布魯克斯（Garth Brooks）在他的歌〈不蒙垂聽的禱告〉（Unanswered Prayers）裏探索了這個看法。他在歌裏回想自己畢業多年後，觀賞高中母校的足球比賽，在那裏遇見從前高中時代的情人，自從畢業後就再也沒有見到她。他把太太介紹給她，然後嘗試說些親近的話。他的心思漂浮到許多年以前，當時他

只想跟她結婚，每晚祈禱「神會讓她屬於我」。他記得自己想如果神應允他這個願望，他就「永遠不再作別的要求」。

可是，二十年後遇見她使他清醒，她完全不像過去看起來那樣，是個「天使」。他們嘗試回憶，可是幾分鐘後談話就結束了，最後她走開，然後他看看自己的妻子，是神賜給他的聖潔禮物，他明白了神用遠超過自己渴望和期待的方式，回應了他的禱告。

> 有時候我為不蒙垂聽的禱告感謝神
> 切記：你和樓上的那人說話時
> 他可能沒有回應，但不代表他不關心
> 神最好的禮物，有些是不蒙垂聽的禱告。

如祈克果所寫：「這正是我們的安慰，因為神回應每個禱告，祂不是賜給我們所求的，就是賜給我們更為美好的。」[2]

1530 年代初期的某天，加爾文安靜地歸向了基督徒信仰。他已經是個學識淵博的學者和有著作出版的作者，計劃從公眾生活中隱退，專心從事學術上的研究。1536 年前往史特拉斯堡（Strasbourg）時，加爾文為避開某個小戰爭，被迫改道經過日內瓦。在日內瓦的宗教改革領袖之一法爾勒（Farel）聽說他會在當地的旅店住一晚，便去見加爾文，

2　Charles E. Moore, *Provocations: Spiritual Writings of Kierkegaard* (Farmington, Pa.: Plough, 1999), 34。

並且請他留在日內瓦協助組織最近剛成立的改革宗教會。加爾文拒絕了，因為這件事不在他的計劃中。法爾勒強迫他，堅持請他留下。最後，法爾勒威脅加爾文說，如果加爾文不對那裏的工作有所貢獻，他會遭到神的譴責。

所以，加爾文留在日內瓦，結果他的餘生都在那裏度過，除了有一段短暫的三年期間，有個敵對的市議會逼迫他離開。他在那裏待了二十五年，因為一個偶然遇見法爾勒的機緣，他的生命進程不是按照自己所計劃的，不是他所想要的，不是他打算的，可是這是賜給他的。奇怪的是，他從來沒有如此禱告，卻獲得這個回應。

加爾文也明白，但是只在回顧自己待在日內瓦的許多年後才明瞭。猶如他在《詩篇註釋》（*The Commentary on the Book of Psalms*）一書的序言中，他寫到有關自己早年的事奉經歷：

> 因為個性具有某種不成熟和害羞，使我總是喜愛陰影和隱退，於是我開始尋找某個與世隔絕的角落，可以從大眾的注目中退開，可是完全不能達成我渴望的目標，我所有的隱居處都有如公立學校。簡而言之，我最大的目標是過不為人知的隱居生活，神卻引領我經過不同的轉折和改變，祂從來沒有允許我在任何地方休息，直到祂把我帶到大眾面前，不管我的天性如何。[3]

3　John Dillenberger, *John Calvin: Selections from His Writings* (Ann

住在日內瓦的那些年，加爾文的講道幾乎包括了整本聖經，他講道的筆記提供他寫作註釋書的材料。他開始參與日內瓦的政治活動，協助寫出該市的憲章，帶動蠶絲工業，創辦一所學院，和宗教改革的領袖建立深刻的友誼，也在某個運動的草創階段提供指導。他造成的影響持續到現今。

如果加爾文拒絕在日內瓦的教會作牧師和領袖，那個教會會在哪裏呢？但是，加爾文並沒有渴望、計劃、或想要成立這個教會，他不會認為成立教會是神對他禱告的回應，可是至少我很高興，也很感謝神用他沒有期待或渴望的方式，回答了他的禱告，我們因此更豐富，也更得智慧。

不是禱告不蒙垂聽，也許只是我們不想要、不能預見、和不願祈求的回應。

不是禱告不蒙垂聽，也許只是我們不想要、不能預見、和不願祈求的回應。我不是說我們永遠不應該禱告，因為我們的禱告可能會在哪方面出錯、偏離目的或方向錯誤。我們禱告時很難不懷抱期待。畢竟，我們禱告時的確有所求，也確實應當如此。我們可以、也應該為心中的渴望而禱告。

然而，我建議我們要帶著彈性和膽量禱告，要輕鬆面對

Arbor: Scholars Press, 1971), 26。

我們的期待，要尋找神回應我們禱告的跡象，而神回應我們禱告的方式，可能與我們的渴望和祈求不同。從我們有限的觀點來看是不蒙垂聽的禱告，從最終的、更大的參照觀點來看，卻可能是個獲得回應的禱告。神對我們的要求說「不」，也許是因為祂希望給我們不同的、結果是更好的東西，雖然可能起初看起來不是如此。

哈列斯比認為：如果神有任何可以超越我們要求的作法，祂會採行，雖然哈列斯比知道神這麼回應禱告會讓我們覺得禱告不蒙垂聽。以路德為例，哈列斯比寫道：「正像路德所說：『我們求銀子，但神往往給我們金子。』每一次，耶穌看見祂可以給我們的多過我們知道要祈求的，祂就多給。而且，為了這麼作，祂對待我們的方式往往超過我們所能理解的。」[4]

還沒有回應

我的禱告像個短篇故事——只需快速、簡單的閱讀，沒有幾頁，情節簡單，線索清楚，可是神希望我的禱告像史詩，開展出偉大的場景，也涵蓋很長的一段時間。我們如果從救贖的歷史學會一件事，那就是神拯救的工作需要許多時間和空間。神要作的事遠超過眼睛所能看見、頭腦所

---

[4]　O. Hallesby, *Prayer* (Minneapolis: Augsburg, 1994), 106＝哈列斯比著，顏路裔譯，《禱告》，113。

能想像，我們不能著急，神有祂自己的時間觀，通常當我們覺得應該快時祂很慢，我們覺得應該慢時祂很快。

就舉彌賽亞為例，我們從中可以學到神的時間觀。為甚麼神要等這麼久？誰知道呢？可是當條件一旦成熟，耶穌就降生在一個小鎮，過了三十年的凡人生活後，開始了僅僅持續三年的公開事奉。在那三年裏，耶穌步調猛烈快速，而那只是為祂生命最後幾個星期的異常急速暖身，因為整個人類的命運和世界的未來正在危急未定的警要關頭。

在耶穌來到以前，似乎神有許多時間，然後一旦耶穌降臨，就幾乎迫不及待。救贖的歷史慢跑了幾個世紀，像匹疲倦得幾乎無法行走的馬，然後突然加快速度，像子彈從槍管飛出。無計其數的人曾經為彌賽亞的來到禱告了數世紀，最後他們的禱告得到回應，雖然他們大多數人都早已離世。稀有的幾個得以看見耶穌，認識祂，也跟隨他，即使在那個時候，也有許多人沒有認出祂是誰。

或者以早期教會的成長為例。當教會初成立，羅馬的權勢接近全盛時期，羅馬城閃閃發光，宮廷為世界所羨慕，皇帝有錢、有權，也腐敗。如果《時人雜誌》(*People Magazine*)和《新聞週刊》(*Newsweek*)存在於當時，會在一期期的專題報導中報導羅馬及其人民的富有和華麗。

沒有人會對基督教的運動多加留意，而基督教是從羅馬帝國的落後地區巴勒斯坦開始的，先在低下階級和無權無勢的人群中傳佈——奴隸、婦女和外國人——也傳給較有

權勢的人。和羅馬相較，這個運動是渺小、不重要，幾乎是微不足道的，經過了數世紀，這個運動才站穩腳跟，但是這個初具雛形的運動最後進佔了羅馬帝國的世界，並且環繞了整個地球。當羅馬敗亡時，教會待命填補眞空，開始時像一粒芥菜種子的運動，成長爲參天大樹，誰能預見這樣的事？

等待回應很難，尤其是在我們爲攸關重大的事禱告時，然而耐心和堅持仍舊是禱告的先決條件。我們決定放棄時，神可能剛開始暖身；我們認爲有個禱告不蒙垂聽時，神可能剛準備作回應。

我們決定放棄時，神可能剛開始暖身；我們認爲有個禱告不蒙垂聽時，神可能剛準備作回應。

許多著有禱告方面的經典著作的作者，一再提醒我們面對神要有耐心。富司迪勸告我們：「人們常說他們的禱告不蒙垂聽；其實是因爲他們缺乏耐心，他們沒有給神回應的時間。」[5] 哈列斯比補充說：「我們總是太缺乏耐心，在禱告時也不例外，尤其在我們自己或我們摯愛的某個人有緊急需要時更是如此。」[6]

[5]　Harry Emerson Fosdick, *The Meaning of Prayer* (New York: Association Press, 1915), 119。

[6]　O. Hallesby, *Prayer* (Minneapolis: Augsburg, 1994), 51＝哈列斯比著，《禱告》，52。

認識救贖的歷史

　　神對歷史的計劃，比眼界最開闊的理想主義者的看見都還要宏偉盛大，能炫惑眼目、震驚心思。我發現認識救贖的歷史使我能更有知識地禱告，就像有地圖帶領你進行長途、危險、令人興奮的旅程。

　　救贖歷史的大綱很清楚明白。神創造了世界，說世界很好，世界是美麗、和諧、而完整的。但是，亞當和夏娃反叛了神，他們的叛逆啟動了一系列的邪惡，敗壞了一切──人類和神的關係、人類的群體、自然的世界，甚至社會的機構。所以，神著手恢復世界，修補破缺，使一切再變為好。祂發動救贖的計劃，救贖故事的重點都記錄在聖經裏。

　　救贖的故事告訴我們要怎麼禱告，我們必須具彈性、有耐心，尤其是必須有遠見。以路得的故事為例，那個故事大概發生在主前一千一百年。拿俄米和她丈夫不能在遭遇饑荒的以色列境內小鎮伯利恆生活，所以他們決定搬到外國摩押去，在那裏仍然與以色列人保持友善的關係。他們在那裏住下，建立了自己的家園，兩個年幼的兒子長大成人並結了婚。拿俄米以為自己會終其一生住在摩押，身邊滿是親愛的家人。

　　可是，料想不到的是，她的丈夫去世，然後她的兩個兒子也去世，對命運感到憤懣的她決定搬回伯利恆，在那裏尋找謀生的機會。她在兩地的前景都很黯淡，可是如果

她會變得貧窮、悲慘，她覺得最好是在自己的家鄉。她禁止自己的媳婦與她同行，因爲她知道如果她們留在摩押，比較有機會再嫁人。有個媳婦俄珥巴留在摩押，另一個媳婦路得卻拒絕離開拿俄米身邊。

所以，拿俄米回到伯利恆，她忠實的媳婦路得陪伴著她。這時拿俄米已經改名爲「瑪拉」，是「苦」的意思。她覺得完全沒有希望，也完全無助，懷疑自己沒有丈夫、財產、工作要怎麼生活。爲了避免挨餓，她讓路得到麥田裏拾麥穗。

在田裏工作的一天，路得遇見波阿斯，他年老、富有，是拿俄米的親戚。他仁慈地保護路得，最後他向路得求親，他們結了婚。這樣的婚姻可能不是路得所曾渴望的，可是這是神所要的，在這個故事裏，這個婚姻眞正是天賜良緣。路得懷了孕，生下一個兒子，名叫俄備得。俄備得結婚後，他妻子生了個兒子，名叫耶西。多年後，路得和拿俄米逝世許久，耶西結了婚，他的妻子生了八個兒子，其中之一是大衛，他成爲以色列的王。可是，故事還沒有結束。幾個世紀之後，路得的一個子孫生了個兒子，名叫耶穌，他成爲世界的救主。

路得皈依了拿俄米的宗教，拿俄米的宗教就是以色列人的宗教。像任何虔誠的以色列人一樣，拿俄米很可能時常禱告。對拿俄米來說，禱告一定如同向星星許願般徒勞無益。拿俄米和路得必須等待，而且遠遠超過十八天，才能看見自己的禱告獲得回應。故事的結局是幸福快樂的，

我們可以確信。拿俄米恢復了從前的生活，路得找到一個丈夫，波阿斯娶得一個妻子，而且生了一個嬰兒，是每個人都寵愛的。

這仍然不是故事的結局，要經過幾個世紀以後，真正的結局才開始。路得不會知道未來發生的事，不會明白神救贖世界的計劃，不會認識耶穌；然而，耶穌是波阿斯和她結合的結果。這就是神最後對她禱告的回應。路得的故事告訴我們：禱告時，我們必須思想遠大、大得像部史詩，並且運用我們的想像力，擦亮我們的眼睛，注意看神使用奇妙的方法來救贖世界的跡象。

清教徒牧師和靈修作家麥克定（Cotton Mather）認為：直到進入天堂，我們才會看見我們的禱告的全部影響。我們現在是憑信心禱告，並且經常出於無知，只有神知道一切將如何配搭，互相效力。

> 到達天上的世界時，我會收取在這裏所有委身的豐盛收穫，聖靈完美記載了我所有的禱告，那時會在我面前堆積帶著美好恩典的回應，那許多回應遠超過我所能看見或想像的。啊！讓祂堅強的信心使我過充滿禱告的生活，使我的禱告充滿生命，也使我在撒種的時期能勤奮，並有充分的時間撒種。[7]

---

[7]　Cotton Mather, *Diary of Cotton Mather* (1709-1724)(New York: Frederick Ungar), 22:243。

我們如果給神時間，祂通常會作出比我們所能想像的更大、更好的事，甚至連童話故事都黯然失色、索然無味。

對於禱告的驚人回應

我在第一章說過許多故事，都是關於人因為神沒有回應他們的禱告而覺得失望的，他們——米保博、彼德和淑麗、安德、和我自己——的故事，強調了禱告不蒙垂聽是多麼令人感到痛苦。每個例子的結果都非常慘痛，至少慘痛了一陣子。

可是，最後發現慘痛並不是永遠的。米保博為五位年輕宣教士的蒙保守而禱告，他們企圖和隱

我們如果給神時間，祂通常會作出比我們所能想像的更大、更好的事，甚至連童話故事都黯然失色、索然無味。

蔽在南美洲叢林裏的偏遠部落進行第一次的接觸，五個人都被部落的人謀殺了，損失這五位宣教士是個令人悲痛的慘劇。

多年後保博參加一個在歐洲舉辦的國際會議，是為世界各地傳福音的宣教士所辦。他在電梯裏遇見一位老朋友，老朋友介紹保博認識一位從南美洲來的宣教士。在他們的談話中，保博得知那位宣教士是奧卡族印第安人，他們以前殺害了他的朋友吉姆·艾略特和與他在一起的四個

人。保博驚訝得說不出話來，好像看見主的顯現。他的禱告被奧秘地回應了，雖然不是按照他的祈求、預期、或渴望。奧卡族印第安人之所以成爲基督徒，至少有部分原因是因爲那五位宣教士的死亡。證明就站在保博的眼前。

彼德和淑麗在教會領袖的某種壓力下，臨退休前選擇辭職，因爲如批評他們的人所說，教會缺乏遠見、成長得不夠快速。雖然他們禁食、禱告，神沒有按照他們的希望回應，他們認爲神背叛和放棄了他們。

可是他們的故事並沒有到此就結束，神繼續推動祂的救贖計劃。彼德和淑麗加入「學園傳道會」（Campus Crusade），專門負責關懷牧師。來回橫越加拿大和美國，彼德和許許多多失望、疲憊、和受傷的牧師談話，神開始引發「綠洲退修會」（OASIS RETREATS）的事工。現在四年多後，這個退修牧養工作爲那些因衝突、背叛、失敗和損失受傷的牧者，提供一個安全、調養恢復的地方。來自二十九個不同教派的許多參加過「綠洲」退修會的人，有很多人曾經感謝這個退修會對於他們的個人生活和牧會工作的影響。有一位發言說：「如果沒有『綠洲』，我們今天不會繼續牧會。爲神賜給你的痛苦感謝神，沒有那痛苦，你不會成立『綠洲』」。

彼德和淑麗現在說：「神把邪惡轉變爲美善，祂把我們的灰燼變成美麗的東西。祂確實回應了我們的禱告，只是祂有個和我們的想像不同的回應，這個回應是好的。」

安德的故事還在開展。他申請簽證，已經被拒絕了三

次。後來他加入了一個在奈洛比的興盛福音派教會。在過去十年，那個教會成立了許多衛星教會，在奈洛比貧民區成立了兩家醫療診所，安德成為那裏的見習生。兩年前我遇見那所教會的牧師，在我們的談話中他對我說：「我看見牧師在你們文化裏的工作，你們雇用他們，把他們當作教會裏正式的基督徒，然後他每個星期天為你們工作，你們讓他作所有的事。我要幫助在我的教會裏的人活得像基督徒。他們對神和祂的工作是跟我一樣重要，我要建造門徒。」

也許安德為接受最好的教育所作的禱告其實已經獲得回應，他不需要搬動，他在那裏就得到他所需要的。

我在車禍中失去一個孩子黛珍，那個經驗非常慘痛，可是我有另外三個小孩倖存。自從意外發生後，我很榮幸能作個單親父親扶養他們，我是跪著養育他們的。現在十一年後，我可以說神回應了我的禱告，他們是非比尋常的人——他們確實因意外受到創傷，可是也被恩典所環繞。他們已經走在成為堅強基督徒領袖的路上，扶養他們是個榮幸和喜悅，神是好的。

神沒有回應我們的禱告，至少沒有按照我們的祈求回應。保博失去殉道的朋友，彼德和淑麗失去他們的教會，安德失去在美國求學的機會，而我失去三個家人。這些損失是無法恢復的，我拒絕掩飾其嚴重性，痛苦的深廣度實在太大，我無法簡單、方便、或合理地解釋這些悲劇發生的原因，也沒有神奇的安慰劑能立刻撫平多年後仍舊存在

的傷口。痛苦就是痛苦，不管我們是否反抗、逃避或順服。

但是，我們的禱告也獲得回應，雖然不是按照我們所能想像的方式。禱告似乎就是這樣，很少一矢中的，射出的箭轉彎、彈跳，甚至似乎無法射到目標，可是最後會擊中目標，雖然是以誰都無法預測或預見的方法。禱告最後寫出的是史詩，不是短篇小說。

「我要差遣你」

禱告很危險，因為神可能選擇藉著我們來回應我們自己的禱告。我們不可能冷淡、無動於衷地禱告，我們就是自己生存和祈禱的屬靈系統中的一環，神會怎麼回應我們的禱告，其實可能需要我們的參與，我們可能成為我們禱告的某個問題的部分解決之道，我們可能就在我們尋找的答案之中。神救贖的計劃會包括我們，不會繞過我們。

以摩西為例。他在埃及一切榮華富貴中成長，可是他永遠無法忘記自己的血統背景。他是希伯來人，奴隸之子，雖然他住在國王的皇宮裏。他永遠無法不思想自己要歸向哪裏、屬於哪個團體、或者應該信仰甚麼。有一天他漫步離開皇宮，去就近察看自己的同胞希伯來人，他看見一個埃及人打一個希伯來奴隸，他非常生氣地殺了那個埃及人。他的罪行被人知道，他必須逃走。他橫越大沙漠，最後在另一個地方找到避難所，並重新開始新的生活。他結婚、生子、作個牧羊人，他找到了安全和穩定的生活——他

這麼以為。

可是希伯來人繼續受奴役之苦，他們向神呼求能獲得拯救。神聽見他們的禱告並回應他們。同時，摩西決定在「神的山」附近放牧，也許他想知道有關那個地方的無稽之談是真是假。在那座山上，他看見喚醒他好奇心的東西。荊棘著了火，但是荊棘沒有被燒毀，他決定察看一下。

他被所見吸引，向前走近，便聽見從天而來的聲音：「摩西！摩西！」因為感到畏懼，他俯伏跪在神面前。神又說話，告訴摩西自己是向摩西的祖先亞伯拉罕、以撒、和雅各顯現的同一位神，祂是摩西祖先的神，祂關心自己的子民希伯來人。「我的百姓在埃及所受的困苦，我實在看見了；他們因受督工的轄制所發的哀聲，我也聽見了。我原知道他們的痛苦，我下來是要救他們脫離埃及人的手……。」

可是，神還沒有說完，祂聽見自己子民的禱告，找出問題，也表達自己的憤怒和關心，但是祂還沒有提出解決之道。祂對摩西說：「故此，我要打發你去見法老，使你可以將我的百姓以色列人從埃及領出來。」突然，摩西發現他祖先的神和他同胞的神也是他自己的神，神要藉著他回應百姓的禱告（出埃及記三 1～10）。

這會讓我們驚奇嗎？我對歷史的研究提醒了我：禱告的人最後通常會變成事奉、犧牲和造成影響的人；也許，他們的禱告將他們投入行動中。最近我開始閱讀宣教士的傳記，想多知道一些有關西方宣教士在十八和十九世紀，

對於教會在世界各地成長的貢獻。我發現這些傳記不只說到宣教和宣教士的故事，也向讀者挑戰，使他們能欣然接受這些勇敢的男女的遠見。

有個主題不斷在這些書中浮現，像戴德生、施瑪莉、史艾達、和施達德，[*]都為世人能獲得拯救禱告，但不久，他們就發現自己前往某個異國，為自己禱告的理由獻身。他們成為對自己禱告的回應的一部分。

戴德生是著名的「中國內地會」的創辦人，在中國工作了幾年，卻未見成效，只得灰心地回到英國。這些年被他的兒子和媳婦稱為「隱藏的歲月」，似乎讓戴德生無法實現宣教的夢想。他禱告求神幫助和拯救，卻沒有得到任何他所祈求的。然而，經過一段時間後，他發現了原因，為他寫傳記的人們談到他的這個發現：

> 可是，當禱告不再帶來拯救時，真正的關鍵時機便來到，但這卻似乎使他更加堅持完成原本使他退縮的行動，因為他開始從那本開啟的書（聖經）裏面看見：神可以使

---

[*] 編按：戴德生（Hudson Taylor），1832-1905，中國內地會（現名「海外基督使團」）創辦人。施瑪莉（Mary Slessor），1848-1915，一生在非洲宣教的蘇格蘭女子，被人稱為「蠻荒白后」（White Queen of the Cannibals）。史艾達（Ida Scudder），1870-1960，一生在印度從事醫療宣教。施達德（C. T. Studd），1862-1931，著名的劍橋七傑之一，環球福音會（WEC）創辦人。

用他──就是他──來回應他自己的禱告。[8]

我著手寫這本書時，猶太人和巴勒斯坦人繼續在中東
互相殘殺，大多數美國人明智地選擇遠離以色列，害怕身
藏自殺炸彈的人引爆炸彈時他們恰巧在那裏；可是不是每
個人都這麼作。希伯來大學（Hebrew University）的學生貝
美蘭（Marla Bennett）選擇留下來，即使有未知的危險。她
寫了一篇有關自己經歷的文章，登載在 2002 年五月十日的
《聖地牙哥猶太人出版傳統》（ San Diego Jewish
Press-Heritage）。

知道自己可能死亡，尤其是走過公共場所時；然而，
美蘭還是選擇留在以色列，因為她希望成為解決問題之道
的一部分。她寫道：「至少，如果我在這裏，我可以扮演主
動的角色，嘗試恢復破碎的一切。我可以志願探訪受到恐
怖主義影響的以色列家庭，我可以為捐贈巴勒斯坦家庭的
食物籃放進食物。」雖然她同意自己親愛的人催促她離開
的看法，卻還是決定留下。「這裏是很危險，我感謝他們的
關心，可是現在全世界我最想待的地方就是這裏，我可以
坐在前排親眼目睹以色列人的歷史，我是以色列人為生存
而奮鬥的一部分。……我知道這個奮鬥是值得的。」[9] 她在

[8] Dr. and Mrs. Howard Taylor, *Hudson Taylor's Spiritual Secret* (Chicago: Moody Press, 1989), 110＝《屬靈的秘訣：戴德生信心之旅》（香港：海外基督使團）。

[9] Marla Bennett, "Front-row seat for Jewish history," editorial in *The

2002 年七月三十一日死亡，一個巴勒斯坦人在大學中引爆自己。

禱告不僅如貝美蘭所說的讓我們坐在前座，也把我們放在舞臺上。我們成為神救贖工作的演員，因為神會以某種方式使用我們來回應我們自己的禱告。

因此，禱告是不安全的，我們的禱告會把我們推進行動中——進入人際關係、理想、機構、衝突和需要裏——這一切都需要我們奉獻時間、資源，甚至我們的生命。我們祈禱得到的回應會包括我們、改變我們，也會調整我們生命進程的方向。如果我們為和平禱告，我們必須成為促進和平的人。

——✑——

> 禱告是不安全的，我們的禱告會把我們推進行動中。

——✑——

如果我們為正義禱告，我們會被迫擁護正義的主張。如果我們為世人的得救禱告，神會給我們機會來分享福音。

我們大多數的禱告不能達到目標，是因為我們禱告得太小心翼翼、太保守。我們希望問題消失，可是不見得想要解決問題；疾病繼續惡化時，我們只希望症狀改善；我們希望緩和衝突，卻還是沒有處理根本問題。我們渴望的是方便快速和安全保險。

但是，神有更遠大的想法。祂計劃拯救世界，祂也會

Spokesman-Review, August 6, 2002, Opinion section, page 4。

在拯救世界的過程中使用我們，所以我們必須這麼禱告。

那九位礦工必須在那個礦坑裏待十八個小時，以為援救工作已經停止，因為救難人員已經失敗，或者因為救難人員已經放棄，他們必須與不好的空氣、寒冷、潮濕、黑暗和失望奮鬥；令人驚奇的是：他們繼續盼望和禱告。他們不知道地面上發生甚麼事，地面上如我們所知的，是與他們想像的完全不同，因為救難人員不眠不休地工作，盡最大的力量要救出那些礦工。

他們的故事是我們的故事，我們也必須禱告，用我們所能鼓起的一切膽量和大無畏的精神，不論我們必須為回應等待多久，也不管我們覺得多麼疲倦和受傷，因為神會回應我們的禱告，也許不是用我們希望的方法、或照我們希望的時間，可是，卻是用我們靈魂深處真正渴望的方式。

―――― 討 論 問 題 ――――――――

Questions
for
Discussion

1. 回想一些你必須等待許久、禱告才獲得回
應的例子。對於要等這麼久,你有甚麼感
覺?

2. 你可以想到一些例子,神回應你的禱
告,雖然不是照著你所希望和預期的,
卻更美好?

3. 爲甚麼神的時間表和我們的非常不
同?等待會對我們有益嗎?爲甚麼?

4. 當我們開始爲神的救贖計劃禱告,而不是
爲我們個人的渴望禱告,會發生甚麼事?這麼
作會如何影響我們對神回應禱告的看法?

5. 禱告爲甚麼是件危險的事?

6. 神會怎麼使用你來回應你自己的禱告?

跋

我們為蒙垂聽的禱告所流下的淚

比不蒙垂聽的禱告更多。

德蕾莎修女

　　我在序言中提到使徒彼得，現在再回頭談他。彼得性急而大膽，會一口承諾，可是不見得總是能信守諾言。在耶穌被釘十字架之前，彼得宣稱他會和耶穌一起死，即使其他使徒都逃逸躲避。可是，耶穌針對他的冒昧，告訴彼得說他會三次否認耶穌；在幾個小時以後，彼得果真這麼作了。當被指認為耶穌的門徒之一時，彼得屈服於壓力，發誓自己從來不認識耶穌。他心中充滿羞愧和懊悔，痛哭失聲。

　　可是，彼得的失敗不是最後的結局。耶穌復活後，藉著一個問題，恢復了祂和彼得的關係：「約翰的兒子西門，你愛我比這些更深嗎？」彼得回答：「主啊！是的，你知道我愛你。」耶穌說：「你餵養我的小羊。」耶穌又問了兩次相同的問題，好像是給彼得機會，改正他之前的錯誤。

　　彼得覺得無法承受，他剛面對了自己的缺點和軟弱，

知道單憑言語不代表甚麼。好像是哭求幫助似的，他對耶穌說：「主啊！你是無所不知的；你知道我愛你。」他不是說他完全認識自己，反而承認耶穌才是對他無所不知的，在那一刻，他明白了耶穌比他更認識他自己。彼得瞭解耶穌有權問所有的問題，並鑒察自己內心最深之處。彼得只能說：「你是無所不知的。」

神確實無所不知，包括知道與我們有關的每件事，或許這就是禱告不蒙垂聽這個問題最後的、真正的答案。我們可能永遠不知道神為甚麼不回應我們的禱告，神可能看起來遙遠得像永恆，不公平得像惡魔，無法理解得像無限，可是祂還是神——良善、有力，並明智。神是主動者，即使在我們禱告的時候，也是祂主動。祂回應發自心靈的禱告，因為是祂先把禱告放進我們心中，然後把禱告呼召出來。布朗寧（Robert Browning）的這首詩作了完美的總結：

> 神確實無所不知，包括知道與我們有關的每件事，或許這就是禱告不蒙垂聽這個問題最後的、真正的答案。

如果我忘記，
　神卻依然記得！如果我的雙手
停止抓緊，神聖的手卻依然
　緊緊抓住我，使我不能跌倒；

　　有時我疲憊，甚至無法呼求

　　　　祂的幫助，祂依然洞悉

　　我心中沒有說出的禱告，並除去我的憂愁。

　　十一年前我失去黛珍。那天我還為她得蒙保守而禱告，可是不知出了甚麼差錯。我現在也不比十一年前更知道她為甚麼會死，這對我是個可怕、令人困擾的謎。

　　可是，我從來沒有停止禱告，即使在意外發生後那些最黑暗的日子。起初，我禱告是因為習慣，有時候我不知道自己為甚麼禱告，但是我還是繼續禱告。然而，現在我因為深刻的確信而禱告。

　　諷刺的是：我還是繼續為我的孩子們得蒙保守而禱告，就像我在意外發生之前所禱告的。我們不再遵照從前的就寢規矩，我想他們已經太大了，他們必須學習自己禱告。我們仍然每個星期全家一起禱告，這個禱告不見得總是嚴肅和莊重，有時候我們最後大笑，無法用言語表達某個禱告。

　　我們不再用許多年前我們使用的禱告詞，孩子已經長大了，這個禱告詞已經和搖籃、圖畫書和棉絨睡衣為伍。

　　現在我躺下睡覺，

　　主，求你保守我靈魂。

　　若我一覺不醒，

　　主，求你接收我靈魂。

我從來沒有想到，自己必須認真看待這個禱告的第二部分，十一年前我曾經認真看待過，可是後來就沒有這麼作。現在我把焦點放在第一部分，我祈禱神會把我孩子的靈魂保守在祂手中，使他們能愛神、信任神、跟隨神，不論祂把他們帶領到何處。

　　祂正回應這個禱告。

《堅持一生的道路》

The Will of God as a Way of Life

傑瑞・席哲（Jerry Sittser）著，劉美津譯

每個決定都充滿平安、信心
以神的旨意為你一生的道路

我們都聽說神對我們的一生有個計劃，可是，在實行上，這究竟是甚麼意思——也就是說，我們面對生活裏的重要決定時，比如該和誰結婚？要接受哪個工作？應送我們的孩子去哪個學校？或者要參加哪個教會？有時候，神完美的心意似乎很難找到、迷亂，令人無所適從，又很容易錯失。我們甚至可能懷疑：過去所作的選擇，是否曾經偏離了神為我們的一生所定的計劃？

《堅持一生的道路》探討一些重要的問題，如：假設神對我們的一生有個完美的計劃，那麼我們有多少自由？遇見苦難和麻煩，表示我們偏離了祂的計劃嗎？神究竟是怎麼說的？

席哲討論了這些和其他問題，提出一個符合聖經的看法，讀者會覺得能真正得到自由。不論你已經作了甚麼決定，他指出你仍舊可能活出神對你的生命所作的完美計劃——即使你覺得自己和不合適的人結了婚、選錯了行業，或者面對某種嚴重的麻煩。

本書包括為個人和小組設計的研讀問題，能幫助任何人面對大大小小的決定。

《出人意外的恩典》

A Grace Disguised: How the Soul Grows Through Loss

傑瑞・席哲（Jerry Sittser）著，張書筠譯

　　災難恰似深具破壞性的洪水。它既不留情、又不饒人，而且毫無忌憚，冷酷殘暴地腐蝕人的身、心、靈。有時候，它會即時造成損失，好像水壩突然裂開，急流撲天蓋地而來，漫過所經之處。它有時候連綿不斷，像滂沱大雨，導致河水湖水暴漲而淹沒兩岸，破壞了流經之地。無論哪一種，災難把人的一生都改變了。

　　傑瑞・席哲的遭遇就像水壩破裂那樣，一場出人意外、令人不解的車禍吞沒了他一家人。在幾秒鐘之內，席哲的人生完全改觀。一個酒醉的人駕駛的車輛迎頭撞上席哲一家人乘坐的車輛，奪走了席哲的妻子、母親、四歲大女兒的性命。在《出人意外的恩典》中，席哲引領讀者走過這場天翻地覆的事件，以及他對這場飛來橫禍可能的意義所作的反思。一個人經過如此悲痛的損失，要如何生存。基督徒相信一位無限良善、能力的神，卻遭逢這樣的巨變，該如何回應？

　　失喪的本身不一定是界定生命的時刻；我們對失喪的反應倒是闡釋生命的時刻。我們遭遇到甚麼事並不打緊，倒是我們裡面有甚麼變化才更重要。黑暗滲透到我的心靈，一點也沒錯。然而，光明也一樣。二者對我個人的轉變皆有貢獻。